Marcin Przewoźniak

Mikołaj KOPERNIK

Chłopak, który sięgnął do gwiazd

Ilustracje: Dorota Szoblik

ZIELONA SOWA

Spis treści

Człowiek, który miał być kupcem, a stał się superbohaterem

Wstrzymał Słońce, ruszył Ziemię, polskie go wydało plemię..." – tyle pamięta każde polskie dziecko, ponieważ ów wierszyk liczy sobie lat z górą dwieście. Wiemy, że był astronomem, patrzył w gwiazdy i przed prawie 500 laty odkrył, że to Ziemia kręci się wokół Słońca, a nie odwrotnie. Uczniowie, słysząc to, ziewają z nudów, a uczony spogląda na nich z niemym wyrzutem z portretów zawieszonych chyba w każdej szkole. Trudno mu się dziwić – nie doceniają go i tyle. I to właśnie niewybaczalny błąd.

Kopernik – superbohater? A dlaczego nie? W początkach XVI wieku za głoszenie poglądów o tym, że Ziemia nie jest pępkiem świata, tylko krąży grzecznie wokół Słońca, można było zostać skazanym nawet na śmierć. Mimo to nasz bohater prowadził swoje badania i ogłosił ich wyniki drukiem, dokonując rewolucji naukowej. To najważniejsza z jego zasług. A co robił wcześniej? Podróżował po Europie, gdy dziennie pokonywało się dystans 20 kilometrów, a człowiek się cieszył, że koło u wozu pękło tylko dwa razy. Skutecznie leczył ludzi, gdy lekarstwem na ból zęba były obcęgi kowala, który wyrywał dla pewności i ten ząb, który pacjent wskazał i ze dwa sąsiednie, bo nie wiadomo, który bolał naprawdę. Odkrywał w świecie finansów prawa, które obowiązują do dziś. Wyjeżdżał z tajnymi misjami dyplomatycznymi do Krzyżaków, a gdy było trzeba – bronił przed nimi Olsztyna tak skutecznie, że rycerze wiali spod murów w nieładzie i w niesławie. Opracowywał nowoczesny kalendarz w czasach, gdy połowa ludzi w Europie nie bardzo wiedziała, który jest aktualnie rok – oraz mapy Polski, gdy odległości mierzono w pacierzach. Zaś największego w dziejach kosmicznego odkrycia dokonał... nie mając teleskopu, bo jeszcze go wtedy nie wynaleziono. Chyba więc warto poznać kogoś takiego.

Dom rodzinny

Mama

Barbara Kopernik (z domu Watzenrode). Pochodziła z zamożnej mieszczańskiej rodziny, bardzo szanowanej w Toruniu. Jej ojciec, Łukasz Watzenrode walczył przeciw Krzyżakom i odniósł w bitwach rany. Polskę walczącą z Krzyżakami wspierał też finansowo – pożyczał wielkie sumy na zakup broni dla rycerstwa.

Tata

Mikołaj Kopernik. Pochodził ze śląskiej wioski Koperniki, która należała do jego rodziny. Był poważanym i szanowanym kupcem, najpierw w Krakowie, a następnie w Toruniu, gdzie zamieszkał w 1458 roku. Sześć lat później poślubił Barbarę.

od koniec siarczyście mroźnej zimy, 19 lutego 1473 roku o godzinie 16:48 w kamienicy przypominającej zamek rozległ się głośny płacz dziecka. Pani Barbara właśnie szczęśliwie urodziła zdrowego chłopaczka. Jej mąż, bogaty kupiec Mikołaj, wziął noworodka na ręce i z dumą mu się przyjrzał. Było to już czwarte dziecko, które urodziło im się w toruńskiej kamienicy. Kupiec Mikołaj postanowił, że chłopczyk dostanie na chrzcie takie imię, jakie nosi on sam. Tak oto przyszedł na świat Mikołaj Kopernik, syn Mikołaja Kopernika, kupca z Torunia.

Dom rodzinny

Rodzina Koperników mieszkała w okazałym domu przy ul. św. Anny. W tym samym, gdzie urodził się Mikołaj. Dom przypominał zamczysko – był wysoki, ze spadzistym dachem, zbudowany z czerwonej cegły, miał kunsztowne wysokie okna i bogate ozdoby na elewacji. Gdy Mikołaj miał siedem lat, rodzice sprzedali ten dom i przenieśli się do większego i piękniejszego, zbudowanego przy głównym rynku miasta. Niestety ten nowy dom nie dotrwał do naszych czasów. Rozebrano go w 1906 roku. Na szczęście kamienica, w której urodził się Mikołaj, stoi do dziś.

Dom Kopernika w Toruniu

W bogatych mieszczańskich domach podłogi były drewniane lub wykładane kamiennymi płytkami. Ściany obwieszano materiałem, często dywanami, by nie biło od nich zimno. Nie było zbyt wielu mebli – w pokojach stały skrzynie i kufry, które pełniły funkcje szaf. Przy ciężkich dębowych stołach siadano na równie ciężkich krzesłach lub ławach. Ciepło dawały drewniane szczapy palone w piecach lub kominkach. Wieczorami oświetlano pokoje świecami lub kagankami. Przez okna najlepiej było wyglądać, gdy były otwarte. Wtedy nie znano jeszcze sposobu na wyrabianie idealnie przezroczystych szyb, więc co prawda przepuszczały one światło, ale obraz tego, co za oknem był niestety zamazany.

Pokój Mikołaja Kopernika

Dzieci sypiały razem. Ich łóżeczka lub kołyski stały w jednym pokoju, w którym na stałe przebywała jedna służąca, tak zwana *bona do dzieci*. W co przyszły astronom bawił się z rodzeństwem i z kolegami? Tego nie wiemy dokładnie, ale możemy się domyślać, bo znamy zabawy, które cieszyły waszych rówieśników sprzed 500 lat. Popularnymi zabawami były: rzucanie i kopanie piłki, toczenie obręczy za pomocą patyczka, chodzenie na szczudłach, gra w ganianego (berka), ciuciubabkę i w chowanego. Ciekawe, jakie przy tym stosowano wyliczanki? Poza tym dzieciaki robiły sobie zawody w rzucaniu kamieniami do starej beczki oraz w kręceniu drewnianego bąka, którego napędzało się niewielkim bacikiem. Tak właśnie bawił się mały Mikołaj Kopernik.

Rodzeństwo

Andrzej Kopernik – najstarszy z czwórki dzieci. Wraz z Mikołajem studiował w Krakowie, a potem na włoskich uniwersytetach. Bracia wspomagali się w nauce, razem też mieszkali po studiach we Fromborku. Andrzeja mniej interesowała astronomia, wolał poświęcić się studiowaniu prawa.

Barbara Kopernik – starsza siostra. Jako nastolatka wstąpiła do zakonu sióstr cysterek w Chełmnie, mieście nieopodal Torunia. Tam też przebywała do końca życia.

Katarzyna Kopernik – starsza siostra. Gdy dorosła, wyszła za mąż za krakowskiego kupca i miała z nim pięcioro dzieci. Jedna z jej córek poszła do zakonu, do tego samego klasztoru, co Barbara.

Jak nazywał się Kopernik?

Średniowieczna kopalnia

Co to takiego ten Koper-nik?

Od czego pochodzi nazwisko astronoma? Od kopru? To dobra odpowiedź, ale nie chodzi o koper ogrodowy, jaki wkłada się do słoików z kiszonymi ogórkami. Kopper (albo copper) w języku łacińskim, niemieckim i angielskim oznacza miedź. Żółtoczerwony metal, z którego wyrabia się różne pożyteczne przedmioty.

Ojciec Mikołaja, jak wiecie, był kupcem i pochodził ze śląskiej wsi Koperniki położonej nad rzeką Nysą. Przez wiele lat handlował... miedzią, czyli koprem. Być może stąd wzięło się jego nazwisko.

Dla nas sprawa jest oczywista – Mikołaj Kopernik! Tak dziś piszemy jego nazwisko. Ale przed 500 laty pisownia była trochę bardziej skomplikowana. To, jak ktoś się nazywał, zależało od tego, w jakim języku się przedstawiał. Ponieważ zaś używano wtedy kilku języków jednocześnie, zamęt panował nieopisany. I nazwisko naszego astronoma jest świetnym przykładem tego galimatiasu. Mikołaj Kopernik – tak piszemy i wymawiamy jego nazwisko dziś. Być może sąsiedzi i służący mówili do niego: „Wielmożny panie Mikołaju". Jednak sam Kopernik przedstawiał się nieco inaczej. Za jego czasów często do nazwiska dodawano nazwę miasta lub miejscowości, z której człowiek pochodził. I tak nasz astronom podpisywał się: *Nicolaus Coppernicus Torinensis* albo *Copernicus Thorunensis* – kiedy pisał po łacinie. *Copernic* – gdy podpisywał się po polsku. Gdy umieszczał swe nazwisko w księgach scholarów Akademii Krakowskiej w 1491 roku, podpisał się: „Mikołaj, syn Mikołaja z Torunia". Ale znany był także jako *Nicolai Copernici* – gdy podpisywał się po włosku. W archiwach miasta Olsztyna jest dziesięć dokumentów, które Mikołaj własnoręcznie sporządził. Na trzech z nich widnieje jego odręczny podpis: „Nicolaus Coppernic" – przez dwa „pe".

Czy nazwisko pomogło Mikołajowi w życiu?

Tak, pomogło, ale dlatego, że nosili je wpływowi i zamożni ludzie – jego krewni. Można powiedzieć, że przyszły astronom miał szczęście – przyszedł na świat w bardzo bogatej rodzinie. Ojciec był kupcem, handlował towarami z Gdańskiem i Wrocławiem. Matka pochodziła z bardzo zamożnej rodziny, której członkowie zasiadali we władzach Torunia. Rodzice, a potem wuj, zadbali o jego edukację. Mały Mikołaj uczył się najpierw w szkole parafialnej przy katedrze pod wezwaniem świętych Janów: Chrzciciela i Ewangelisty. Jako osiemnastolatek zapisał się na studia w Akademii Krakowskiej, co nie było takie łatwe. Na szczęście pomógł mu w tym wuj, biskup warmiński Łukasz Watzenrode, rodzony brat jego mamy. Bez tej pomocy nie udałoby mu się wyjechać na studia zagraniczne i zdobyć dyplomów lekarza, prawnika oraz astronoma.

Gdyby urodził się w biednej rodzinie...

Najkrócej rzecz biorąc – nigdy nie został by astronomem ani lekarzem, ani prawnikiem. Nauka była zarezerwowana dla osób z bogatych rodzin. Chłopak z rodziny ubogiego szewca mógłby liczyć najwyżej na rok czy dwa lata nauki w szkółce parafialnej. A najpewniej już jako dziecko trafiłby do warsztatu ojca, by pomagać mu w pracy i uczyć się zawodu. Gdyby urodził się na wsi, w zwykłej chłopskiej rodzinie, nie nauczyłby się nawet czytać i pisać.

Kopernik czy Koppernik?

Tego naukowcy nie byli nigdy do końca pewni. Aż do II wojny światowej, a więc przez 450 lat, badacze, historycy i językoznawcy spierali się, jak poprawnie pisać nazwisko wielkiego astronoma. Ostatecznie zwyciężył pogląd, że należy je spolszczyć – czyli wyrzucić z niego jedno „pe". I tak ostatecznie pozostał Kopernik.

KŁÓTNIA NAUKOWCÓW

Niemcy: *Donnerwetter!* Kopernik był Niemcem! Pisał tylko po łacinie i po niemiecku. Nie znamy żadnego dokumentu po polsku, jaki napisał.

Polacy: Kogo chcecie nabrać? W tamtych czasach dokumenty w naszej części Europy sporządzano po łacinie lub po niemiecku. Tak samo robili Czesi, Pomorzanie, Węgrzy i Ślązacy. To co, wszyscy byli Niemcami?

Niemcy: *Ja, Ja!* Niemcy ponad wszystko! Kopernik urodził się w niemieckim mieście!

Polacy: Hola, hola! Kiedy Kopernik przyszedł na świat, Toruń leżał już w granicach Polski, bo dwadzieścia lat wcześniej jego mieszkańcy mieli waszych rządów po dziurki w nosie. Dlatego prosili króla polskiego o wyzwolenie. Zapomnieliście już, kto obronił Olsztyn przed krzyżackim atakiem? Kopernik! To co, nadal twierdzicie, że był Niemcem?

Niemcy: Jego mama nosiła niemieckie nazwisko Watzenrode!

Polacy: A rycerze z rodu Watzenrode dawali Krzyżakom niezłego łupnia na polach bitew.

Niemcy: Mikołaj, gdy studiował w Bolonii, zapisał się do wspólnoty studentów niemieckich.

Polacy: Bo wspólnoty studentów polskich tam nie było, a trzeba przecież nawiązywać nowe znajomości. Kopernik mówił biegle po niemiecku, to z kim się tam miał przyjaźnić? Z Hiszpanami? Nie zapominajcie, że Kopernik złożył przysięgę wierności królowi polskiemu, a więc stał się jego poddanym!

Wojna o Toruń i Kopernika

To nie wszystko, o co dwa narody kłócą się od stuleci. Niemcy uważają, że Mikołaj urodził się w niemieckiej rodzinie, skoro jego ojciec pochodził z Krakowa, gdzie mieszkało mnóstwo Niemców. Sugerują, że naprawdę jego nazwisko brzmiało: Koppernick. Nie mają jednak racji. W Krakowie mieszkało wielu Polaków, a końcówka „-nik" występuje w wielu polskich wyrazach. Skoro może być cukiernik, to dlaczego nie Kopernik?

Poza tym nasz bohater wszystkie prace naukowe dedykował królowi polskiemu. Także uczeni w Europie, z którymi się kontaktował, uważali go za astronoma polskiego.

A TO CIEKAWE... Mikołaj mógłby przeciąć ten spór i powiedzieć, że jest Ślązakiem! Jego tata, nim zamieszkał w Krakowie, mieszkał we wsi Koperniki niedaleko Opola. Rodzina mamy miała rodową siedzibę w Psznnie, nieopodal Wrocławia. Rodzice astronoma pochodzili więc z Dolnego Śląska. Poznali się i pobrali dopiero w Toruniu.

Skąd w ogóle ta międzynarodowa kłótnia? Wszystko przez skomplikowaną historię rodziny Mikołaja. Jak pamiętacie, jego ojciec prawie na pewno był Polakiem. Matka, pani Watzenrode, pochodziła ze Śląska, prawdopodobnie z niemieckiego rodu. Ale jej ojciec, mimo niemieckiego nazwiska, walczył po stronie Polski przeciw Krzyżakom. Oboje mieszkali w Toruniu, który, choć został niedawno przyłączony do Polski, był przez wielu uznawany za miasto pruskie (patrz mapka), czyli nadal należące do cesarza niemieckiego, mimo że Polacy zdobyli Toruń w wojnie z Krzyżakami.

Toruń, czyli gdzie?

Dziś wiemy, że Toruń to polskie miasto. Od stuleci leży na ziemiach polskich i zamieszkują go przede wszystkim nasi rodacy. Jednak w czasach narodzin Mikołaja Kopernika nie było to takie oczywiste. Toruń był wówczas dość młodym miastem, wybudowanym przez zakon krzyżacki ledwie 240 lat wcześniej. Mieszkali tam ludzie wielu różnych narodowości. Najpierw należał do Krzyżaków i był jednym z najważniejszych miast w Księstwie Pruskim, które powstało na ziemiach zakonu. Dopiero dwadzieścia lat przed narodzeniem Mikołaja mieszkańcy zbuntowali się przeciw niemieckim rządom, wypędzili Krzyżaków z miasta i zburzyli ich zamek. Król polski pospieszył miastu z pomocą i tak zaczęła się wojna Polski z zakonem. Trwała 13 lat. Dopiero w 1466 roku, a więc na siedem lat przed urodzeniem się Kopernika, Toruń oficjalnie stał się miastem należącym do Polski. Kiedy Kopernik przyszedł na świat, wielu ludzi nadal uważało, że Toruń przynależy do Polski tylko na kilka lat, do następnej wojny, którą na pewno wygrają Krzyżacy. Jednak miasto pozostało polskie. Już dwieście lat później Toruń był jednym z największych i najbogatszych miast Polski oraz trudną do zdobycia twierdzą.

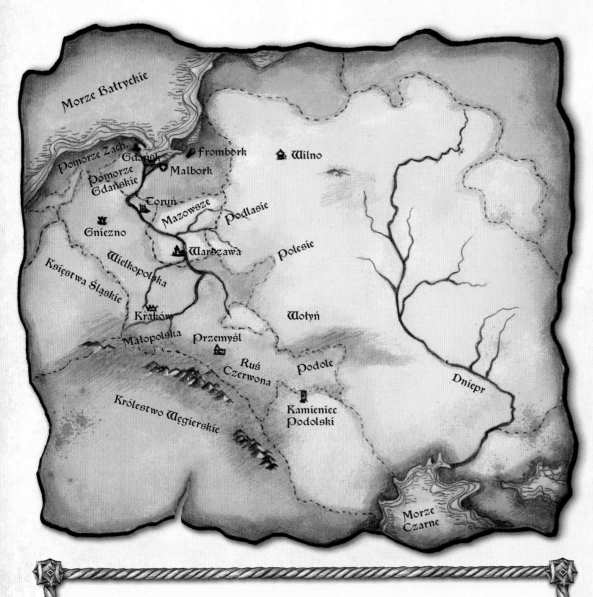

W roku 1473 Polska była o wiele większym państwem niż jest dziś. W dodatku, choć to zabrzmi śmiesznie, w pewnym sensie leżała gdzieś indziej niż dziś. Spójrzcie uważnie, Mazowsze i Mazury były osobnymi księstwami, Dolny Śląsk należał do Czech, a Szczecin i Pomorze Zachodnie – do niemieckiej Brandenburgii. Za to na wschodzie sprzymierzone z Polską Wielkie Księstwo Litewskie sięgało prawie pod Moskwę i niemal dochodziło do Morza Czarnego, a to naprawdę kawał drogi!

Wit Stwosz

Gdy Kopernik miał 16 lat i dopiero marzył o studiach w Krakowie, mistrz rzeźbiarski Wit Stwosz kończył właśnie rzeźbienie słynnego ołtarza w kościele Mariackim w Krakowie. Choć Wit Stwosz był Niemcem, na czas wykonywania prac w Krakowie zrzekł się obywatelstwa niemieckiego miasta Norymbergii i przybrał krakowskie.

Arend Dickmann

Urodził się 30 lat po śmierci Kopernika. Był Holendrem, żeglarzem i właścicielem statku handlowego. Mieszkał w Gdańsku i jako holenderski żeglarz wstąpił na służbę do polskiego króla Zygmunta III Wazy. Ten mianował go admirałem polskiej floty podczas wielkiej bitwy morskiej ze Szwedami stoczonej na Bałtyku w 1628 roku. Dickmann zginął w tej bitwie. Od tamtego czasu uznawany jest za polskiego admirała.

Jan Matejko

Pewnie pamiętacie to nazwisko. To jeden z najważniejszych polskich malarzy XIX wieku, który stworzył cykl portretów naszych królów, a także namalował najsłynniejsze sceny z historii Polski. Jego mama była Niemką, zaś ojciec – Czechem. A jednak Matejko został uznany za największego polskiego malarza – patriotę.

Toruń z lat młodości Kopernika

Mikołaj miał szczęście. Urodził się i mieszkał w jednym z największych miast ówczesnej Polski. W Toruniu mieszkało prawie 20 tys. ludzi. Dziś można powiedzieć, że to niedużo, ale w XV wieku to była prawdziwa metropolia. Wisłą płynęły niezliczone statki transportujące do Gdańska towary, które potem wysyłano do zamorskich krain. W rzecznym porcie bez przerwy trwał załadunek i rozładunek statków oraz barek. Codziennie przybywali ludzie z dalekich krain – kupcy, żołnierze, wędrowni grajkowie i aktorzy, królewscy wysłannicy i grupy murarzy, którzy podejmowali się budowy najpiękniejszych i największych budowli, jakie znał ówczesny świat.

Z pamiętnika Kopernika...

Piszę ten dzienniczek w polskiej mowie, bo pan ojciec i pani matka powtarzają co dzień, żem jak i oni poddany króla polskiego. Takoż nie tylko łaciną i niemiecką mową muś mi się wykazać, ale po polsku biegle czytać, pisać i gadać. Chociaż między królami i biskupami jeno łacina ważna, a we Dworze Artusa, gdzie rajcy z burmistrzem władzę w Toruniu sprawują – po niemiecku prawić trzeba, polska mowa przecież rozbrzmiewa na królewskim dworze w Krakowie i wśród rycerstwa. Myślę sobie, czy kiedyś w Toruniu więcej ludzi będzie gadać po polsku, czy po niemiecku? Tak czy tak, po polsku gadać umiem – potrafię rzec bez błędu: chrzan, soczewica, koło miele młyn. A moi koledzy z niemieckich rodów języki sobie na tym łamią!

(…)

14 September Anno Domini 1488
Dziś na rynku zabawa wielka, do Torunia histrionowie zjechali, to jest kuglarze, aktorzy i muzykanci. Tłum zbiegł się oglądać, jako grają na gęślach i piszczałkach i trąbkach, fikają salta, jabłek tuzinem podrzucają w górę i łapią kolejno, a żadne na ziemię nie opada. Wreszcie, jak przedstawiają ucieszne historie, udając królów, zbójców i rycerzy. Samem się na to zapatrzył, tak żem do domu na obiad spóźniony wrócił. A kiedym chciał poćwiczyć owo jabłek rzucanie i łapanie, owoc źle puszczony strącił na podłogę misę miodu, na pierniki odstawioną. Pani matka zaraz rózgą mnie na grzbiecie wpisała documentum, że na kuglarza się nie nadaję.

17 September Anno Domini 1488
Żołnierze zaciężni w mieście naszym zawitali. Ponoć niektórzy kupcy będą ich najmować do ochrony karawan, co z towarem ku Gdańskowi jadą, blisko ziem krzyżackich, gdzie o napad nietrudno. Chłopy na schwał, w kirysach i kapalinach, półpancerze mieczami poszczerbione, widno, że w niejednej bitwie stawali. Wieczorem marzyłem, że sam takim kawalerem się stanę i sławę wojenną zdobędę.

20 september 1488
Jutro jedziemy do naszej winnicy we wsi Kaszczorek. Nie mogę się doczekać gonitw i zabaw między starymi krzewami winorośli. Jakże tam pięknie, zielono i czysto! Toruń miastem pięknym jest, jeno ludzie zanadto potrzeby załatwiają na ulicach, miast latryn poszukać. W Kaszczorku kwieciem a nie gnojem zalatuje, więc pilno nam do tego sielskiego raju pojechać.

Rewia mody

Toruńskie ulice mogły przyprawić o zawrót głowy od pysznych i bogatych strojów, jakie mieszczanie wkładali na co dzień. W bogatym mieście nie brakowało takich, którzy najmodniejsze ubrania sprowadzali z innych krajów, płacąc za to fortunę.

Mężczyźni nosili sukienne nogawice, trochę przypominające dzisiejsze legginsy. Do tego ciżmy lub trzewiki. Kolorowe szaty, podobne do dzisiejszych sukienek, sięgały do bioder lub kolan. Najbogatsi nosili ozdobne szuby z futrzanymi kołnierzami, sięgające prawie kostek u nóg. Modne były rękawy rozszerzane, bardzo długie z wycięciami po bokach albo bufiaste, wielobarwne, jakby napompowane. Panie nosiły suknie długie i kolorowe, zdobione futrem i drogimi dodatkami.

W wielkim mieście nie brakowało widowisk: odbywały się miejskie parady, na rynku organizowano targi i jarmarki, na które przybywali ludzie z odległych krain. Rzemieślnicy należący do cechów uczestniczyli w zawodach strzeleckich, w święta kościelne ulicami ciągnęły wielkie procesje, a z okazji Wielkiej Nocy odgrywano widowiska ukazujące sceny z Biblii. Na rynku kat wymierzał kary przestępcom.

Toruń bogacił się. Zyski przynosił port wiślany i składy soli, która wtedy była towarem drogim i trudno dostępnym. W Toruniu działała królewska mennica, w której wybijano monety. Po każdym jarmarku i targu w kasie miasta przybywało pieniędzy z opłat i podatków. Budowano spichrze i magazyny, by zarabiać na przechowywaniu żywności i towarów.

Społeczeństwo miasta

Miasto czyniło ludzi wolnymi, ale nie równymi. Najważniejsi byli ludzie posiadający wielkie majątki: najbogatsi kupcy, bankierzy oraz właściciele gruntów. Oni tworzyli elitę, czyli patrycjat miejski. Patrycjusze rządzili miastem i decydowali o wszystkim, co dla miasta ważne – o rozbudowie, nowych podatkach, udziale miasta w wojnach itp.

Obywatele posiadający prawa miejskie nazywani byli pospólstwem. To kramarze, karczmarze, rzemieślnicy, kupcy, malarze i młynarze. Nie byli bardzo bogaci, ale stanowili większość obywateli i to głównie oni płacili podatki.

Pozostała ludność zwana była biedotą albo najmitami. Byli to służący, czeladnicy, uczniowie w warsztatach, robotnicy budowlani oraz pracujący przy transporcie towarów. Prócz nich w mieście mieszkali żebracy, a także przestępcy, dla których zatłoczone miejskie zaułki były świetnym terenem do kradzieży i rozbojów. Hultajami i złodziejami zajmowała się straż zwana pachołkami lub drabami miejskimi. Spotkanie ze strażnikami nie należało do przyjemnych – za przestępstwa można było zostać mocno pobitym i wtrąconym do miejskiej ciemnicy. Zaś sąd miejski mógł skazać rzezimieszka na wiele bolesnych kar.

Miasto bogate i wspaniałe

Bogactwo Torunia podziwiali wszyscy przybysze. Niezwykłe wrażenie robiły wspaniałe kościoły, ogromny ratusz, bogaty dwór miejski. Mieszczanie wznosili kamienice tak bogate, że niejeden zamek rycerski wydawał się przy nich skromną budowlą. Bezpieczeństwa broniły potężne mury obronne. Tylko bogate miasto mogło sobie na coś takiego pozwolić.

Prawa miejskie

Nie każdy mieszkaniec mógł zostać obywatelem miasta. Aby uzyskać prawa obywatelskie, trzeba było posiadać w mieście grunty lub domy albo źródło dochodów, z którego miasto pobierało podatki. A więc kto dawał miastu zarabiać, ten mógł stać się jego obywatelem. Obywatel miasta mógł swobodnie prowadzić handel lub warsztat, wybierać radnych i sam starać się o wybór, mógł wstępować do miejskich bractw i organizacji. Mógł też zwracać się o pomoc do miejskich sądów, kiedy czuł się pokrzywdzony.

Miasto uwalnia

Miejskie powietrze czyni wolnym – mawiano w czasach Kopernika. Co to znaczy? Chodziło o przepis, który głosił, że sługa lub poddany, który w mieście przeżył rok, przestawał być zależny od swego dawnego pana. To była atrakcyjna propozycja, na przykład dla chłopów, którzy na wsi nie mieli żadnych praw.

PANORAMA TORUNIA

Obyczaje, zabawy i powinności

TORUŃSKA APTEKA

Mały Mikołaj niemal codziennie przechodził obok wystawy słynnej na całą okolicę apteki mistrza Alberta, która działa od 1389 roku aż do dziś w tym samym miejscu! Teraz nosi nazwę: „Apteka Królewska". W roku 1425 aptekę otworzył też w Toruniu Jan Alster. To jemu Mikołaj miał się kłaniać w podziękowaniu za skuteczne wyleczenie chorej siostry. Gdy Kopernik wyjeżdżał z Polski na studia, w mieście działało już pięć dużych aptek i co najmniej trzy kramy z lekarstwami. Może odwiedzając aptekę mistrza Alstera Mikołaj marzył o tym, że sam kiedyś zostanie lekarzem?

PODRÓŻE

W czasach młodości Kopernika okres trwania podróży mierzono nie w godzinach, ale w dniach. W ciągu jednego dnia konnej jazdy można było pokonać 35-40 km, zaś wozem zaprzężonym w konie lub woły – tylko 25-35 km. Tyle samo, około 30 kilometrów, mógł pokonać jednego dnia piechur. To oznaczało, że do Inowrocławia, oddalonego od Torunia o blisko 40 kilometrów, trzeba było podróżować cały dzień. Zaś do zamku w Kruszwicy nad Gopłem (20 kilometrów za Inowrocławiem) jeszcze jeden dzień. Gdy Mikołaj wyruszał z Torunia do Krakowa na studia, aby przebyć ponad czterysta kilometrów dzielące oba te miasta, musiał zarezerwować sobie na podróż mniej więcej dwa tygodnie.

Idę do szkoły, pani matko!

– Dobrze, Mikołaju. Uważaj, by cię nie najechał jaki wóz albo jeździec. I kłaniaj się po drodze panu aptekarzowi Alstrowi. Powiedz, że mu jeszcze raz dziękuję za maść, co ją dla siostry twej sporządził. A na lekcjach nie przysypiaj, bo znowu rózga będzie w robocie!

Mikołaj Kopernik, pożegnawszy się z mamą, wychodził z rodzinnego domu na tłumną, gwarną i barwną ulicę. W wielkim mieście nikt nie próżnował. Rzemieślnicy, tacy jak bednarze, garbarze skór, szewcy i złotnicy, od świtu pracowali w swych warsztatach wraz z licznymi czeladnikami i sługami. Kupcy uwijali się przy kramach, sprzedając i kupując towary. Tragarze przeciskali się przez tłum, niosąc najcięższe pakunki. W sąsiedztwie kramów nawoływali klientów sprzedawcy wody i żywności.

AUTOSTRADA KOPERNIKA

Wisła była w owych czasach potężnym szlakiem handlowym i wielką pasażerską autostradą. Podróże drogami wytyczanymi przez lasy i pustkowia nie należały do najbezpieczniejszych. Dlatego podróż dużym statkiem handlowym pod opieką strzegących towarów strażników, była na pewno bezpieczniejsza i szybsza.

Nie brakowało też dziwaków. Na ulicy można było napotkać wędrownych astrologów, którzy za kilka groszy gotowi byli postawić przechodniowi horoskop. A także sprzedawców relikwii, którzy nabierali naiwnych mieszczan, wmawiając im, że mają na sprzedaż prawdziwe pióro Archanioła Gabriela, łzy Matki Boskiej w buteleczce albo guzik odpruty od szaty, którą nosił święty Jan Chrzciciel. Wielu było takich, co wierzyli i płacili za bezwartościowe przedmioty. Mimo że w czasach Jana Chrzciciela nie znano jeszcze guzików, a więc święty nie mógł ich mieć przy ubraniu...

Powinności wobec miasta

Mieszkańcy Torunia mieli obowiązki wobec swego miasta. Przede wszystkim musieli płacić podatki, z których utrzymywano miasto i państwo polskie. Podatków było o wiele więcej niż dziś. Płacono podymne – od każdego komina na dachu, czopowe – od sprzedaży alkoholu, podwodowe – od utrzymywanego wozu lub karety. Był też podatek szosowy – pobierany od nieruchomości (placu, domu lub spichlerza). W miastach często naliczano go na podstawie szerokości frontowej ściany kamienicy. Dlatego średniowieczne domy są tak wąskie…

Starosta miejski pobierał także opłaty targowe i jarmarczne oraz tak zwane paśne od handlarzy przepędzających stada wołów przez miasto. Czynsz płacili wszyscy rzemieślnicy, kramarze i kupcy. Dodatkowo musieli płacić na utrzymanie miejskiego kata oraz straży miejskiej.

To nie wszystko. Wybrane grupy rzemieślników dostawały pod opiekę fragmenty murów obronnych, baszty i bramy prowadzące do miasta. Musieli dbać o nie, naprawiać uszkodzenia, a w razie ataku na miasto, bronić murów. Dlatego garncarze, bednarze, szewcy, kowale i inni rzemieślnicy od czasu do czasu ćwiczyli celne strzelanie z łuków lub strzelb, by potem celniej razić wroga.

Z pamiętnika Kopernika…

2 Martius Anno Domini 1489

Dziś odbył się ślub czeladnika Baltazara z majstrową córką Giselą. Baltazar uszył suknię dla przyszłej żony i strój ten był jego majstersztykiem, czyli pracą mistrzowską. Bo wiadomo, że czeladnik, póki pracy mistrzowskiej nie wykona, sam majstrem zostać nie powinien. Suknię uszył przecudną, wszystkie panny jej zazdrościły. Po zaślubinach w kaplicy, krawcy ustawili się w orszaku, wszyscy ubrani odświętnie i w zbrojach, trzy razy rynek obeszli.

CZYM PŁACONO?

W XV wieku najważniejszą monetą w Polsce były srebrne grosze praskie, które przejęliśmy od Czechów. Nie było złotówek, ale kupcy umawiali się, że na jeden polski złoty trzeba uzbierać 30 groszy praskich. 48 groszy równało się jednej grzywnie. W grzywnach liczono, gdy chodziło o naprawdę spore kwoty. Złoty polski, jako oficjalna moneta, został wprowadzony w 1564 roku, a więc 21 lat po śmierci Mikołaja Kopernika. Za życia astronoma, w obiegu były też zagraniczne złote monety – dukaty i floreny. Jednak zarabiano, płacono i obliczano podatki w groszach.

Oto przykłady z czasów dzieciństwa Mikołaja:

świnia = 8 x grosz

krowa = 14 x grosz

koń = 48 x grosz

para butów = od 6 do 18 x grosz

miecz = 70 x grosz

szuba z futrem = 12 grzywien = 576 x grosz

złoty naszyjnik = 15 grzywien = 720 x grosz

Podatek od komina = 12 x grosz

ZAROBKI:

kanonik w katedrze św. Jana we Wrocławiu – 11 x tygodniowo,

pierwszy pisarz miejski Wrocławia – 28 x tygodniowo,

mistrz budowli miejskich – 9 x tygodniowo,

strażnik na wałach obronnych – 3 x tygodniowo,

czeladnik – od 1 do 3 x tygodniowo.

Czego uczono w średniowiecznej szkole?

Naukę dzielono na dwie części. W pierwszym roku nauki uczniowie poznawali wiadomości z trzech przedmiotów, które nazywano po łacinie Trivium. Były to: podstawy gramatyki łacińskiej, retoryka, czyli poprawna wymowa i ładne wypowiedzi oraz dialektyka, czyli nauka logicznego myślenia.

Po roku lub dwóch latach uczeń przechodził jakby do wyższej klasy i zaczynał naukę Quadrivium. Tu dochodziły kolejne cztery przedmioty do opanowania: algebra, czyli dzisiejsza matematyka i cztery podstawowe działania; następnie geometria, astronomia (bardzo przydatna przy wyznaczaniu kalendarza) oraz muzyka.

PLAN LEKCJI
Mikołaja Kopernika

Dominica (dies prima) *Niedziela*
Sancta Missa et otium *Msza Święta i czas wolny*

Feria Secunda *Poniedziałek*
Praecepta grammaticorum *gramatyka*
Praecepta dicendi *podstawy retoryki*
Musica *muzyka*

Feria Tetria *Wtorek*
Dialectica *dialektyka*
Geometrica *geometria*
Algebraica disciplina *algebra*

Feria Quarta *Środa*
Sideralis scientia disciplina *astronomia*
Praecepta dicendi *podstawy retoryki*
Algebraica disciplina *algebra*
Dialectica *dialektyka*

Feria Quinta *Czwartek*
Sideralis scientia disciplina *astronomia*
Algebraica disciplina *algebra*
Praecepta grammaticorum *gramatyka*
Praecepta dicendi *podstawy retoryki*

Feria Sexta *Piątek*
Geometrica *geometria*
Dialectica *dialektyka*
Dialectica *dialektyka*

Sabbatum *Sobota*
Musica *muzyka*
Musica *muzyka*
Dialectica *dialektyka*

Szkoła przy katedrze

D la małego Mikołaja czas spędzony w szkole nie był jednak czymś, co się miło wspominało. Gdybyście trafili do średniowiecznej szkoły, pewnie uciekłibyście z przerażenia...

Najważniejszy przedmiot

Jaki był najważniejszy przedmiot w średniowiecznej szkole? Rózga. To nie żart. Rózga lub pęk rzemyków była czymś, czego używano codziennie. Gdy nauczyciel zaczynał pracę w szkole, władze miasta lub kościoła wręczały mu uroczyście rózgę, jako symbol jego urzędu nauczycielskiego. Czy rózgami bito uczniów? Jeszcze jak!

Szkolne obyczaje były bardzo surowe. Każde przewinienie karano laniem. Bicie po pupie lub plecach miało wykształcić u uczniów pokorę i posłuszeństwo. Nauczyciel sięgał po rózgę, gdy uczeń nie zapamiętał lekcji, źle ją powtórzył, nie nauczył się czegoś na pamięć lub gdy zachował się nieelegancko. Nauczyciel przy pomocy rózgi nauczał i wychowywał. Co ciekawe, nikt z rodziców nie protestował i nie chodził nigdzie na skargę. Wszyscy uważali, że tak właśnie powinna wyglądać nauka. Kary najczęściej wymierzano podczas lekcji, na których poznawano gramatykę łacińską. Był to (i jest nadal!) jeden z najtrudniejszych przedmiotów i o pomyłkę lub zapomnienie czegoś było łatwo. A pomyłki bolały...

Koledzy ze szkoły

Pochodzili z bogatych rodzin, tak jak Mikołaj. Ich rodzice płacili na utrzymanie szkoły i nauczyciela. W klasie byli synowie kupców, rajców władających miastem, rycerzy i najmożniejszej szlachty. Do szkół chodzili ci, którzy mieli przejąć kupieckie firmy rodziców lub ci, których przeznaczono do tego, by zostali duchownymi. Dlaczego byli to tylko synowie? No cóż, w tamtych czasach dziewczynek do szkoły nie posyłano. Uczyły się w domach albo wcale.

Wygląd klasy

Klasa w niczym nie przypominała takiej, jaką znacie z własnej szkoły. Nie było w niej ławek ani map na ścianach, ani doniczkowych roślin na parapetach. Nauczyciel mówił, stojąc na tak zwanej katedrze lub siedząc na ozdobnym krześle. Uczniowie siedzieli zaś na słomie rozścielonej na podłodze lub na twardych długich ławach ustawionych przy dębowym stole.

Jak i na czym pisano?

W średniowieczu księgi i dokumenty spisywano na pergaminie, czyli gładkim materiale wykonanym z cieniutkich skór zwierzęcych. Na pergaminie pisano gęsim piórem lub zaostrzoną odpowiednio trzcinką i atramentem. Pergamin był jednak bardzo drogi, zaś papier, taki jaki znamy dziś, dopiero zaczynał być popularny. Uczniowie pisali więc na drewnianych tabliczkach pokrytych woskiem.

Co się umiało po ukończeniu szkoły?

Aby poznać podstawy gramatyki łacińskiej, chłopcy uczyli się na pamięć dzieła pod tytułem „Dystychy Katona" („Disticha Catonis de moribus"). Były to najważniejsze zasady moralne i nauki prawidłowego postępowania, zapisane jako łatwe do zapamiętania, krótkie wiersze. Uczniowie umieli poza tym liczyć, czytać, ładnie się wysławiać (oczywiście po łacinie), myśleć logicznie i orientować się w kalendarzu. Uczniowie uczyli się pacierza, psalmów oraz śpiewu kościelnego.

Znikopis Kopernika

Drewniane deseczki ułożone w tabliczkę z jednej strony pokrywano dość miękkim woskiem. Po warstwie wosku można było pisać przy pomocy rysika z drewna lub kości. Gdy zapis się nie udał albo nie był już potrzebny, wystarczyło zatrzeć i wyrównać warstwę wosku i już tabliczka była pusta. Podobnie działają dzisiejsze znikopisy. Tylko że zamiast wosku, są w nich magnetyczne ekrany z drobniutkimi opiłkami metalu, które pod naciskiem rysika zmieniają się w wyrazy.

Co Kopernik miał w tornistrze?

Nic nie miał, bo nie posiadał tornistra. Do szkoły nosiło się tylko tabliczkę do pisania. Podręczników jeszcze nie znano, więc jedyną książkę miał nauczyciel. Z niej odczytywał lekcje, a uczniowie musieli pilnie słuchać. A jak ktoś nie był pilny... to już wiecie, co było dalej.

Czy Kopernik pluł pod stół?

O zachowaniu przy stole

W czasach Kopernika spluwanie i smarkanie pod stół nie było niczym nagannym. Pierwszy polski podręcznik savoir-vivre'u napisał Przecław Słota, mniej więcej w 1400 roku. Był to satyryczny wiersz pt. „O zachowaniu się przy stole". Z zaleceń autora wynikało, że nie powinno się obżerać, wyjadać samych najlepszych kąsków, mówić z pełnymi ustami, wypluwać resztek jedzenia do misy czy ponownie zjadać tego, co wypadło z ust. Były to tylko zalecenia autora wiersza, a nie towarzyskie wymogi. Więc przez następne 150 lat z okładem nawet najszlachetniej urodzeni zachowywali się niezbyt apetycznie.

Koszmar przechodnia

Plucie pod stół naprawdę nie było najgorszym obyczajem owych czasów. W mieszkaniach nie było łazienek, więc duże i małe potrzeby załatwiano do nocników. Potem ich zawartość wylewano po prostu przez okno do ulicznego rynsztoka, by spłynęły do rzeki. To dlatego przechodnie, gdy szli ulicą po zmroku krzyczeli: „Idzie się! Idzie się!" Nikt nie chciał być znienacka oblany... domyślacie się czym.

W domu rodzinnym Mikołaja Kopernika odbywa się uroczysta uczta. Jest rok 1489, Mikołaj ma 16 lat i jest już dojrzałym młodzieńcem. Gości przyjmuje matka Mikołaja, Barbara. Ojciec przyszłego astronoma zmarł przed sześcioma laty, gdy przez Toruń przeszła zaraza dżumy zwana „czarną śmiercią". Głównym bohaterem przyjęcia jest brat Barbary, Łukasz Watzenrode. Właśnie wrócił z Rzymu, gdzie papież Innocenty VIII mianował go biskupem warmińskim. Łukasz oznajmia siostrze, że Mikołaja i jego starszego brata Andrzeja zabierze do zamku w Lidzbarku Warmińskim i tam przygotuje ich do studiów w Akademii Krakowskiej. Mikołaj i Andrzej nie mogą się już doczekać.

Gdy toczą się tak ważne rozmowy, słudzy wnoszą kolejne dania na srebrnych półmiskach. Biskup Watzenrode, mówiąc z pełnymi ustami, wyrzuca za siebie kości indycze. Zaraz chwycą je psy warujące tuż obok. Mikołaj nie może przeżuć niedopieczonego ścięgna, więc wypluwa niejadalny kawałek pod stół. Rycerz von Allen, spowinowacony z rodziną Koperników, śmieje się i spluwa pod nogi, a następnie bierze nos w dwa palce i smarka na podłogę. Kupiec Walenty, szanowany radny miejski, podjadłszy mięsiwa, niezbyt dyskretnie puszcza wiatry, po czym wychyla potężny łyk piwa i beka.

Wyobrażacie sobie coś takiego przy waszym rodzinnym stole? To dom Mikołaja Kopernika czy jakaś melina? No cóż, takie wtedy panowały obyczaje. Na szczęście mama Mikołaja dopilnowała, by jedzenie było jak najświeższe. Niestety, czasami potrawy podawane na stół były popsute. Wielu ludzi przypłacało uczty życiem i zdrowiem.

Na Węgrzech ciężko zatruł się polski król Władysław Jagiełło. Biskup krakowski struty nieświeżym obiadem kazał się powiesić za nogi pod sufitem i wisiał dotąd, dokąd wszystkiego nie zwymiotował. Okropny los spotka też biskupa Łukasza Watzenrode w 1512 roku. Nieszczęśnik zatruje się nieświeżymi rybami i wyzionie ducha.

Zatrucia powodowały bakterie oraz skażona mąka i pieczywo. Winny był sporysz – pasożyt zbóż. Dziś zaatakowane kłosy oddziela się od reszty i wyrzuca, ale w XVI wieku nie wiedziano, że sporysz jest trucizną.

Mikołaj Kopernik interesował się sposobami leczenia zatruć. Za kilka lat, po studiach w Krakowie i Padwie, zostanie uznanym lekarzem.

Łyżka, nóż i widelec

Na ucztę każdy przynosił własną łyżkę. A jeśli jej nie miał, używano jednej wspólnej. Bywało więc, że gość brał łyk polewki lub kęs mięsiwa, wycierał łyżkę w obrus i podawał następnemu. Nikogo to nie brzydziło, przecież i tak jedli z jednej misy. Nóż też każdy winien mieć własny, aby sobie odkrajać kęsy z półmiska, a potem jeść je... rękami.

A widelec? Ho, ho, ten wynalazek zawitał już do Polski, ale upłynie jeszcze prawie sto lat, nim się upowszechni w bogatych domach. Na razie na każdego, kto przy stole wyjąłby dwuzębny widelec, patrzy się jak na niezbyt kulturalną osobę, która na siłę chce się wywyższyć ponad innych. Nie mówiąc o tym, że widelec kojarzył się wielu ludziom nie z elegancją, ale z widłami do gnoju.

Archeolodzy w 500-letnich kibelkach

W podwórzach kamienic kopano głębokie latryny, do których załatwiali się mieszkańcy. Gdy dół się wypełniał, był opróżniany przez więźniów, pilnowanych przez pomocnika kata. Niektóre latryny po prostu zasypywano i kopano nowe w innym miejscu. I właśnie takie 500-letnie kibelki uwielbiają archeolodzy. Czy oni powariowali? Niekoniecznie! Do latryn często wpadały różne przedmioty gubione przez nieuważnych mieszczan. Wyrzucano tam też rzeczy, które się zniszczyły. Z takiego kibelka gdańscy archeolodzy wydobyli w 2008 roku wiele zabytków: naczynia, nocniki, części stroju, narzędzia, ozdoby, monety, a nawet 400-letnie okulary.

Botticelli (1445 – 1510)

W *Narodzinach Wenus* pokazał nagą, długowłosą boginię w ogromnej muszli unoszonej przez morskie fale. W obrazie *Wiosna* – trzy Gracje (Czystość, w którą Kupidyn strzela z łuku, Piękno i Rozkosz) z prawej strony obrazu biegnie nimfa Chloris, którą dotyka swym powiewem Zefir – wiosenny wiatr. Jeszcze 50 lat wcześniej byłoby to nie do pomyślenia!

Peter Bruegel 1525 – 1569

Malował motywy z codziennego życia ludu: wesela, uczty, biesiady, kiermasze. Jako pierwszy malarz zachodni tworzył pejzaże dla nich samych, a nie tylko jako tło dla alegorii religijnych. To była kolosalna nowość w sztuce!

Rafaello Santi 1483 – 1520

Już przez współczesnych okrzyknięty „boskim malarzem". Tworzył sceny biblijne, portrety Madonny, malował obrazy dla kościołów, ozdabiał też wspaniałymi freskami ściany włoskich świątyń. Do dziś zachwycają pięknem postaci i niezwykłymi kompozycjami.

Człowiek renesansu

Memento mori, mawiali ludzie w średniowieczu. *Carpe diem* – wołali ci, którzy uważali się za ludzi renesansu. Nasz wielki astronom urodził się i żył w czasach, gdy w Europie, także w Polsce, ludzie zaczęli bardziej wierzyć w naukę i rozum, a mniej w przekonanie, że o wszystkim na świecie decydują cuda i siły nadprzyrodzone. Odchodzące powoli średniowiecze przestrzegało, że to, co najważniejsze, spotka człowieka po śmierci, a tu, na ziemi, musimy przechodzić próby, by w życiu pozagrobowym zasłużyć na raj lub potępienie. Stąd powiedzenie: *memento mori* – „pamiętaj, że umrzesz". Pan Bóg cię stworzył i masz być Mu posłuszny – przypominali księża.

Carpe diem! – „chwytaj dzień" – odpowiadały nowe, nadchodzące czasy. Pan Bóg cię stworzył i jakże pięknie oraz mądrze to uczynił! Człowiek pragnął cieszyć się życiem, jego wygodami, poznawać, oglądać i tworzyć piękne rzeczy. Oho! Tu właśnie dochodzimy do największego przewrotu myślowego: w średniowieczu w centrum uwagi był Bóg i jego wpływ na nasz świat doczesny, a także losy duszy po śmierci człowieka. Renesans w centrum uwagi stawiał natomiast człowieka – jego wygląd, potrzeby, uczucia. W tym czasie rozkwitły sztuki piękne, architektura, odkrycia naukowe, a nawet poczucie humoru! To właśnie w czasach renesansu ludzie zaczęli masowo tworzyć i opowiadać anegdoty. W nauce i sztuce pojawiło się przekonanie, że człowiek jest wspaniałą istotą. Że inni ludzie są warci poznania i polubienia. Na tym właśnie polegał renesans, który ukształtował Mikołaja – astronoma, naukowca, lekarza, badacza i wojskowego. Człowieka, który chciał wiedzieć jak najwięcej. I który wiedział więcej niż inni.

Człowiek renesansu

Człowiek renesansu nie tylko interesował się nauką, ale uważał, że wiedza i doświadczenia mają służyć przede wszystkim ludziom. Mają ich doskonalić, czynić silniejszymi i szczęśliwszymi. Stąd termin *humanizm*, oznaczający skupienie się na potrzebach człowieka i na jego dążeniu do szczęścia.

Dziś termin ten oznacza kogoś, kto ma liczne zainteresowania i rozległą wiedzę w wielu dziedzinach. 500 lat temu było dokładnie tak samo. Ludzie renesansu – artyści, myśliciele i naukowcy byli specjalistami w wielu dziedzinach nauki. Pisali wiersze, malowali obrazy, projektowali wspaniałe budowle, zgłębiali wiedzę medyczną, uczyli się języków obcych i zastanawiali się nad skutecznym sposobem nauczania i wychowania młodych pokoleń.

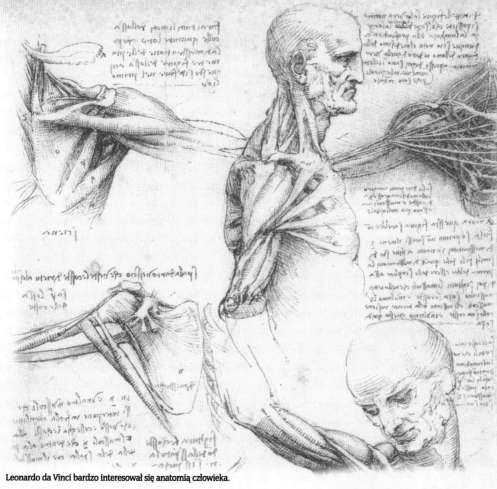
Leonardo da Vinci bardzo interesował się anatomią człowieka.

Jeśli twoi rodzice ubolewają, że masz zbyt dużo zainteresowań i łapiesz „kilka srok za ogon", możesz wytłumaczyć, że chcesz zostać człowiekiem renesansu....

Renesans w Polsce – zaczynamy pisać po polsku!

Renesans dotrze do Polski z lekkim opóźnieniem. Ale wkrótce i u nas zaczną powstawać perły architektury. Jednak renesans będzie mieć dla naszego kraju inne, bardziej doniosłe znaczenie. Szybko wzrośnie liczba drukarni, dzięki czemu księgi staną się tańsze i bardziej dostępne. Zaś w połowie XVI wieku rozkwitną talenty pisarzy, poetów i filozofów, którzy będą pisać i publikować po polsku. W renesansie, w połowie XVI stulecia, rozwinie się piękna, literacka polszczyzna.

Co oni zmalowali?!

Renesansowi artyści nie zamierzali portretować uduchowionych świętych i malować wyłącznie scen biblijnych. Na obrazach pojawia się perspektywa, krajobraz, zupełnie zwyczajne detale, jak meble, owoce czy przedmioty codziennego użytku. W centrum obrazu pojawia się człowiek. Sceny religijne ukazują nie tylko samo zdarzenie opisane w Piśmie Świętym, ale także ludzkie odczucia i stany psychiczne świętych. To była prawdziwa artystyczna rewolucja!

Erazm z Rotterdamu

Żył w latach 1469–1536. W swych pismach i traktatach głosił, że człowiek z natury jest dobry, zło zaś pochodzi z niewiedzy. Erazm otwarcie popierał tych, którzy chcieli zreformować Kościół, a także krytykował złe obyczaje księży i ich przekupstwo, niemoralne prowadzenie, chciwość. Postulował, aby każdy świecki człowiek mógł czytywać Pismo Święte we własnym języku, a nie po łacinie. Krytykował surową szkołę, w której kazano uczyć się na pamięć gotowych formułek i bito rózgą za brak postępów. Głosił, że nauka w szkole ma być przyjemna dla dziecka i sprawiać radość. Kościół zwalczał jego dzieła nawet po śmierci. Dziś okazuje się, że Erazm miał rację.

Leonardo da Vinci

Żył w latach 1452–1519. Zostawił po sobie tyle projektów, wynalazków, odkryć i dzieł sztuki, że spokojnie można by było obdzielić nimi kilkanaście osób. Największej sławy za życia przysporzył mu talent malarski, a dwa jego obrazy: *Mona Lisa* i *Ostatnia Wieczerza*, są zaliczane do największych dzieł w historii świata.

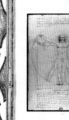 Nieśmiertelność zapewniły mu też projekty wynalazków. W czasach, gdy wojny wciąż rozstrzygano atakami konnicy i cięciem miecza, gdy prymitywne armaty strzelały kamiennymi kulami na odległość 400 kroków, wymyślił projekt maszyny latającej podobnej do dzisiejszego helikoptera, opracował plany czołgu, okrętu podwodnego, szybowca, spadochronu i prototyp karabinu maszynowego! Niestety, wynalazki te nie mogły zostać wtedy zrealizowane – nie znano jeszcze odpowiednich technologii. To nie koniec jego rozlicznych talentów: ryzykując surowe konsekwencje za rozcinanie i oglądanie martwego ludzkiego ciała (Kościół zabraniał tego pod groźbą kary śmierci), dokonywał sekcji zwłok i studiował anatomiczną budowę człowieka.

Nauka i poziom wiedzy

Wiara czy wiedza?

Kościół dołożył swoje do tego chaosu myślowego. Księgi zamykano w klasztorach, do których dostęp był trudny. Zbytnia ciekawość świata była traktowana przez księży jako grzech. „Ciekawość to pierwszy stopień do piekła" – znacie to przysłowie. Pochodzi właśnie z czasów przed urodzeniem Mikołaja Kopernika. Duchowni przekonywali, że wszystko dzieje się dlatego, że Bóg tak chciał i odgadywanie innych przyczyn jest co najmniej nieroztropne. Wśród osób duchowych zdarzali się wspaniali filozofowie i odważni myśliciele, ale spisane przez nich prawdy pozostawały dostępne tylko dla nielicznych. W tej sytuacji naukowe obserwacje i zbyt odważne eksperymenty pachniały herezją i sprzeciwianiem się Bożym porządkom.

Cięcie rozumu

Mycie głowy miało sprowadzać na człowieka nieszczęście, choroby i diabła. Włosów więc nie myto. Zamiast tego przesypywano je popiołem, pudrem, mąką, czesano i szczotkowano. Na wielu głowach robił się kołtun – splecione i sklejone brudem włosy, które nie dawały się rozczesać. Lekarze zakazywali jednak ich obcinania, bo groziło to obcięciem... rozumu.

Mimo że w XV i XVI wieku uczeni dokonywali coraz to nowych odkryć, ogólny poziom wiedzy nie był zbyt wysoki. Wciąż jeszcze prawda mieszała się z zabobonami, a wiedza naukowa – z bajkami wyssanymi z palca. Przykład nauk astronomicznych jest tu najcelniejszy: od stuleci nauczano, że Ziemia stoi w miejscu jako pępek wszechświata, a wokół niej po kryształowych obręczach fruwają słońce, gwiazdy i planety. Trzeba było dopiero odkrycia i obserwacji, jakie poczynił Mikołaj Kopernik, by dowieść, że taki model wszechświata jest kompletną bzdurą. Z wiedzą o świecie i rozumieniem tego, jakimi prawami rządzi się natura, przeciętny człowiek miał spore kłopoty. Uczeni i studenci budowali swą mądrość na uniwersytetach, ale stanowili oni może 1 procent społeczeństwa, w którym 90 procent nie umiało nawet czytać, a pozostali nawet jeśli umieli, woleli słuchać plotek na ulicy niż zgłębiać uczone księgi.

Średniowieczni badacze też dokładali swoje do myślowego chaosu. Część uczonych wybierała drogę na skróty. Jeśli czegoś nie udowodnili naukowo lub nie ujrzeli na własne oczy, to sobie zmyślali. Dobrym przykładem jest teoria przyrodników na temat zimowania jaskółek. Dla badaczy samo zjawisko zimowych migracji ptaków do ciepłych krajów stanowiło zagadkę nie do rozwiązania. Wiedziano z grubsza, po co ptaki odlatują, ale nikt nie miał pojęcia, jak się orientują, kiedy i dokąd lecieć. Wreszcie: czemu wracają? Czy tam, dokąd poleciały, też nadchodzi zima? Szczególnie upodobano sobie jaskółki. Uważano bowiem, że te sympatyczne ptaki zimują na księżycu. A jeszcze w początkach XIX wieku powtarzano teorię, że jaskółki nie odlatują, tylko zimują zagrzebane w bagnach!

Ale uwierzcie, to jeszcze nie był największy hit XV-wiecznej nauki...

Częste mycie skraca życie

Jeszcze do XIV wieku ludzie w Europie praktykowali częste kąpiele i wizyty w łaźniach parowych. Ludzie nie wstydzili się rozbierać do naga przy obcych. To się zmieniło po straszliwych zarazach, jakie spustoszyły Europę w XIV wieku. Ludzie zaczęli unikać wody i kąpieli. Po pierwsze dlatego, że we wspólnych łaźniach czy basenach bali zarazić się od kogoś, po drugie – bo uczeni wymyślili teorię, że choroby biorą się z wilgoci. W rezultacie zalecano myć twarz dwa razy dziennie, a ręce po posiłku.

Natomiast koszula noszona pod ubraniem służyła jako odzież dzienna i nocna, a prano ją raz lub dwa razy do roku. Fuj!

Teraz lekcja higieny naukowej z czasów Kopernika. Lekarze i profesorowie zalecali suche mycie – wycieranie ciała materiałem. W wodzie – nauczano – siedzą zarazki chorób oraz insekty, które lęgną się na mokrym ciele człowieka. Na usprawiedliwienie tych niehigienicznych teorii można dodać, że… coś w tym jest. Człowiek, który się nie myje, wytwarza z własnego potu i brudu osłonę dla obcych bakterii. Tylko lepiej niech wtedy siedzi w odosobnieniu, bo wytwarza też osłonę, przez którą nie chcą przejść nosy innych ludzi…

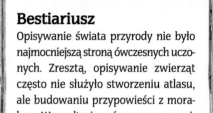

Bestiariusz

Opisywanie świata przyrody nie było najmocniejszą stroną ówczesnych uczonych. Zresztą, opisywanie zwierząt często nie służyło stworzeniu atlasu, ale budowaniu przypowieści z morałem. W rezultacie z równą powagą opisywano słonie i smoki, lwy i bazyliszki, jelenie i jednorożce. W księgach można było wyczytać, że kameleon nie je ani nie pije, a żyje tylko powietrzem, które wdycha. Skąd ten pomysł? Przyrodnikom nie udało się zauważyć, jak kameleon w ułamku sekundy chwyta długim językiem owady.

Kret miał przynosić śmierć, bo mieszkał pod ziemią, a więc bliżej piekła. Orzechy kokosowe miały rosnąć w lasach szumiących na dnie morza, ponieważ… znajdowano je wyrzucone przez fale na plażach!

Później nie było lepiej…

Uwaga, oto pełny tytuł słynnej księgi napisanej 300 lat po śmierci Kopernika: „Nowe Ateny Albo Akademiia Wszelkiej Sciencyi Pełna, Na Różne Tytuły Jak Na Classes Podzielona, Mądrym Dla Memoryjału, Idiotom Dla Nauki, Politykom Dla Praktyki, Melankolikom Dla Rozrywki Erygowana". Dzieło napisał ksiądz Benedykt Chmielowski, a zawarł w nim opisy m.in. smoków i cyklopów, a także krain, których nigdy nie oglądał. Najsłynniejsze definicje z encyklopedii to: „Koń jaki jest, każdy widzi" i „Kozy to śmierdzący rodzaj zwierząt". Księga napisana „idiotom dla nauki" szybko stała się obiektem drwin i symbolem ciemnoty.

Rok 1491
Kraków: matematyka i astronomia

Akademia Krakowska słynęła z wysokiego poziomu nauk matematycznych i astronomicznych. Mikołaj uczęszczał m.in. na wykłady słynnego astronoma Wojciecha z Brudzewa. Doskonalił znajomość gwiazdozbiorów, zaś nauki matematyczne pomagały mu przy dokonywaniu skomplikowanych obliczeń ruchów gwiazd. Wciąż jeszcze nauczano, że to Ziemia stoi w centrum kosmosu, zaś słońce, gwiazdy i planety krążą wokół niej.

Rok 1495
Mikołaj bez magisterium!

Choć Kopernik studiował na Akademii Krakowskiej prawie cztery lata, to nie zakończył nauki egzaminem. Nie wiemy dokładnie, czemu tak się stało. Prawdopodobnie Mikołaj zrezygnował z egzaminu i zdobycia oficjalnego tytułu: *magister artium*, gdyż w ostatnim roku studiów nadeszła wiadomość od wuja, że ma zostać kanonikiem warmińskim. Kopernik musiał przygotować się do pełnienia tej ważnej kościelnej funkcji. Może nie zdobył pieniędzy na egzamin, a te przecież były wówczas płatne.

Rok 1496
Bolonia: prawo i gwiazdy

Już w następnym roku po ukończeniu Akademii Krakowskiej, wuj Watzenrode wysyła Mikołaja do Włoch. Studia tam były modne i szalenie drogie – Mikołaj i Andrzej Kopernikowie mogli je rozpocząć tylko dzięki wsparciu Kościoła i swego wpływowego wuja-biskupa. Biskup Watzenrode nakazał Kopernikowi zapisać się na studia prawnicze. Mikołaj nie był tym zachwycony, gdyż prawo niezbyt go interesowało. Wciąż bardziej niż ku paragrafom, ciągnęło go ku gwiazdom. Wraz z poznanym na studiach przyjacielem – astronomem Dominikiem Mario Novarą, bez końca obserwowali nocne niebo, obliczali ruch ciał niebieskich na nieboskłonie.

Wieczny student z głową w chmurach

Kto to jest wieczny student? To ten, kto studiuje na uniwersytecie, ale lubi się uczyć tylko wybranych przedmiotów, kocha wiedzę, pasjonuje się nauką, cieszy go studenckie życie i najchętniej przedłużyłby je na wiele, wiele lat. I dlatego wcale nie spieszy mu się do zakończenia studiów oraz do zdania końcowych egzaminów. Wypisz-wymaluj, nasz bohater!

W wieku osiemnastu lat Mikołaj wyruszył na studia do Akademii Krakowskiej. Czekał na niego zupełnie nowy świat, inne niż dotychczas obowiązki, a także znacznie większa swoboda. Można powiedzieć, że młodzieniec wyrwał się spod kurateli matki oraz wuja-biskupa, od których dzieliło go kilkanaście dni drogi. Młody Kopernik po raz pierwszy poczuł smak samodzielności, ale także wielką odpowiedzialność, jaka na nim spoczęła. Oto miał zostać żakiem i studiować na jednej z najsłynniejszych europejskich uczelni! Wuj Łukasz Watzenrode chce z niego uczynić mądrego i wykształconego administratora dla swych biskupich włości. Czy on, Mikołaj z mieszczańskiej rodziny toruńskiej, podoła temu wielkiemu i nieznanemu zadaniu? A przy tym – co za emocje! – jedzie do stolicy Polski, do królewskiego grodu Krakowa. Może uda się i samego Króla Jegomości zobaczyć?

Uda się. Nie tylko zobaczyć, ale i kiedyś poznać osobiście, a nawet otrzymywać od niego ważne królewskie rozkazy. Ale to dopiero za kilka lat. Na razie przed Mikołajem świat staje otworem. Jest chłodny, jesienny poranek, gdy nasz bohater z szacunkiem i pewnym onieśmieleniem wchodzi na dziedziniec słynnej Akademii Krakowskiej. W komnatach rektora, gdzie zapisywano studentów, składa swój podpis w metryce uczelni: Nicolaus Nicolai de Thorunia. Co oznaczało: Mikołaj, syn Mikołaja z Torunia. To początek długiej naukowej przygody naszego bohatera, która zaprowadzi go na najlepsze uczelnie Europy i uczyni z niego najsłynniejszego astronoma na świecie.

HEROLD KRAKOWSKI

Anno Domini 1503

W numerze:

Cena: 1 miedziak

Warto zobaczyć: W piątek publiczna chłosta na rynku **str. 2**

Tylko dla pań: Czepce wychodzą z mody! **str. 9**

Kącik eksperta: Niebezpieczne mycie! **str. 15**

Widział w gwiazdach WIĘCEJ NIŻ MY...

Z bolońskim wykładowcą astronomii, Dominikiem Mario Novarą, rozmawia wysłannik Królewskiej Agencji Prasowej Cracovia.

Cracovia: Jak Mistrz wspomina Mikołaja Kopernika?

Dominic Mario Novara: Ach, Nicolao, ten interesujący Polak! Jak na kanonika był bardzo krytyczny wobec obowiązujących teorii kościelnych. Zdumiewało mnie, z jaką pasją pochłaniał księgi i dyskutował o nich. Było w nim coś filuternego, dostrzegał piękno włoskich dziewcząt i nie wstydził się o tym rozmawiać...

Cracovia: Nakłonił go pan do trudnego zadania: badania sprzeczności u Ptolemeusza, który opisał ruch księżyca...

Dominic Mario Novara: Ależ on sam rwał się do takich prac. Stawiał tezy tak odważne, że czasem trzeba było pilnować się, by naszych dyskusji nie usłyszał ktoś ze Świętego Oficjum i nie oskarżył nas o herezję. Mówiłem mu często: Nicolao, ty masz skorygować błędy w znanych teoriach, a nie wywracać do góry nogami porządek świata! Ale on zawsze wtedy tylko się uśmiechał...

Cracovia: Czy Kopernik był dobrym studentem?

Dominic Mario Novara: To zależy. Wśród moich uczniów nie było lepszego. Ale już profesorowie z fakultetu prawa ganili go często za brak należytej pilności. Pamiętam, jak kiedyś za ostatnie pieniądze kupił naręcze papieru, by sporządzać notatki do egzaminu z prawa kanonicznego. Zanim dotarł z tym papierem do biblioteki, zarysował go szkicami z obserwacji nieba.

Cracovia: Czy jakiś szczególny moment z waszej znajomości utkwił Wam, Mistrzu, w pamięci?

Dominic Mario Novara: Nie znałem nikogo, kto by tak uważnie obserwował astronomiczne zjawiska i wysuwał z nich tak śmiałe wnioski. Gdyśmy pamiętnej nocy 9 marca 1497 roku obserwowali ruchy Aldebarana – najjaśniejszej gwiazdy z gwiazdozbioru Byka – miałem wrażenie, że on widzi w tych gwiazdach więcej niż my...

Rok 1500
Rzym: praktyka i wykłady

W roku 1500 Mikołaj i jego brat wyjeżdżają do Rzymu. Mają wziąć udział w kościelnych uroczystościach z okazji nowego stulecia. A także odbyć praktykę z prawa kościelnego w kurii watykańskiej. W Rzymie Mikołaj obserwuje pilnie zjawisko zaćmienia Księżyca. To prawdziwie pasjonująca rzecz na tle nudnych godzin spędzanych w watykańskich archiwach. Na rzymskim uniwersytecie Mikołaj wygłasza swe pierwsze publiczne wykłady, gdzie wyraźnie daje do zrozumienia, że teoria o Ziemi – pępku wszechświata jest błędna. Dowodzi, że możliwy jest inny obraz świata – z nieruchomym Słońcem i obracającą się wokół niego Ziemią. Wykłady budzą sensację. O Koperniku z Torunia zaczyna się mówić w naukowym gronie. Gdyby tylko był jeszcze w stanie udowodnić, że ma rację...

Rok 1501
Lidzbark Warmiński

Ani Mikołaj, ani Andrzej nie ukończyli studiów w Bolonii. Musieli czym prędzej wracać na Warmię, prosić kurię biskupią o pozwolenie na kontynuowanie nauki. Dostojnicy kościelni, którzy rozpatrywali tę prośbę, musieli być długo przekonywani przez biskupa Watzenrode. – Tyle pieniędzy, tyle lat i nie ma żadnych wyników? Gdzie dyplom? Gdzie potwierdzenie wiedzy? – pytali przedstawiciele kurii. Bracia dostali zgodę na powtórny wyjazd do Italii, ale pod warunkiem, że Mikołaj ukończy jeszcze studia medyczne. Dostał dwa lata na formalne ukończenie swych studiów. Wyglądało na to, że patrzenie w gwiazdy trzeba będzie odłożyć.

Rok 1501
Prawo, medycyna i gwiazdy

Ostatnie dwa lata w Padwie spędził jak w transie. Musiał zdobyć tytuł doktora prawa kanonicznego, w 2 lata zaliczyć 3-letnie studia medyczne, nadal prowadził obserwacje gwiazd, a wreszcie... Mikołaj zorientował się, że łacińskich ksiąg astronomicznych nie ma zbyt wiele. Zaś te najciekawsze są zapisane w greckim. Postanowił więc nauczyć się tego języka. Od tej pory Mikołaj czytywał prace greckich astronomów w oryginale.

Uniwersytety w czasach Kopernika

Najstarszy uniwersytet

Za pierwszą wyższą uczelnię uznaje się Uniwersytet Boloński we Włoszech, utworzony w 1088 r. Była to pierwsza europejska uczelnia, która oficjalnie nazywała się uniwersytetem. Działały tam dwie akademie: dla Włochów i dla cudzoziemców. W roku 1158 uniwersytet otrzymał przywileje z rąk najpotężniejszego wówczas władcy w Europie – Fryderyka I Barbarossy. Cesarz zapewnił, że uczelnia jest miejscem, gdzie może się swobodnie rozwijać nauka. Uczeni otrzymali przywilej osiedlania się w mieście i swobodnego w nim nauczania. Natomiast studenci mieli podlegać tylko władzom uczelni, co znaczyło, że jeśli gdzieś w mieście nabroją, sądzić ma ich nie sąd miejski, ale uniwersytecki.

Tysiące studentów

W owych czasach w Europie studiowały tysiące ludzi ze wszystkich krajów. W XVI-wiecznej Polsce modne było wysyłanie synów „do Italii po rozum", jeśli nie na uniwersytet, to na poznawcze wyprawy. W latach 1275––1500 naliczono w Bolonii kilkuset naszych rodaków pobierających tam nauki. Dwunastu Polaków było w tym czasie rektorami uczelni dla cudzoziemców. W XV wieku w Bolonii pobierało nauki ponad dwa tysiące studentów rocznie.

Europa uniwersytecka

Gdy Mikołaj Kopernik wybierał się z biciem serca w wielką podróż na studia do Krakowa, w Europie działało już ponad dwadzieścia znakomitych szkół zwanych uniwersytetami. Najstarsze powstawały niemal czterysta lat wcześniej, pozostałe – dwieście i sto lat przed narodzinami Mikołaja. Były naukowymi potęgami, zatrudniając najlepszych i najsłynniejszych uczonych, których nazwiska przyciągały setki spragnionych wiedzy młodych ludzi.

Uniwersytety powstawały w dużych miastach, a więc tam, gdzie w ówczesnej Europie było najwięcej wolności i swobody. Bogate metropolie zabiegały o to, by otworzyć u siebie uniwersytet, gdyż działanie takiej szkoły przyciągało wielu zamożnych gości. Uniwersytety odwiedzali ludzie z wyższych sfer społecznych i kościelnych, goście z całej Europy, tu uczeni ogłaszali swe odkrycia.

Salamank

Do Bolonii? Dotrzemy za dwa miesiące!

Kopernik podróżował z Torunia do Bolonii jakieś dwa miesiące. Drogi były fatalne – kręte, pełne kolein, tonące w błocie lub spowite kurzem. Mosty należały do rzadkości, więc rzeki pokonywano tam, gdzie były płytkie brody lub promy. Nie było drogowskazów, więc trzeba było opłacać miejscowych przewodników lub korzystać z towarzystwa tych, którzy już tę trasę nie raz pokonali.

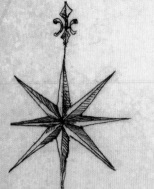

Statkiem byłoby szybciej

Spójrz na mapę. Nie do wiary, ale szybciej podróżowało się statkiem... dookoła Europy. Podróż morska z Gdańska do Genui we Włoszech trwała 27 dni, choć trzeba było opłynąć cały kontynent. Lądem, mimo że trzeba było pokonać o wiele mniej kilometrów, aż 58 dni.

Płać i ucz się

Początkowo studenci sami płacili wykładowcom za naukę. Dopiero od XIV wieku utrzymanie uniwersytetów przejęły częściowo miasta, opłacając pracę najsławniejszych profesorów oraz fundując domy studenckie zwane bursami.

★ Cambridge
★ Oxford

★ Erfurt

★ Kraków

★ Paryż

★ Heilderberg

★ Wiedeń

Wszystkie w średniowieczu

Większość najsławniejszych uniwersytetów powstała w wiekach średnich. Najwięcej w XII i XIII wieku. Ten, kto miał szczęście tam studiować, niemal automatycznie stawał się członkiem europejskiej elity.

Tylko dla bogatych!

Nie było co prawda takich napisów na uniwersyteckich bramach, ale to się rozumiało samo przez się. Każdy sam musiał opłacić naukę, koszty utrzymania w obcym mieście... a nie były one tanie. Wpisowe na Akademię Krakowską kosztowało 8 groszy. Ubożsi płacili połowę tej kwoty, mieszkali w gorszych bursach i podczas wykładów siadywali na podłodze – ich bogatsi koledzy mieli miejsca w ławach. Do tego dochodziły opłaty za naukę i wyżywienie.

★ Padwa ★ Ferrara

★ Bolonia

★ Florencja

★ Rzym

Uniwersyteckie specjalizacje

Już w czasach Kopernika niektóre uczelnie słynęły z poziomu nauk tam wykładanych. I tak specjalizacją uniwersytetu w Bolonii stało się prawo cywilne i kanoniczne, Paryż słynął z teologii, Oxford z nauk przyrodniczych, Padwa ze studiów medycznych, zaś Akademia Krakowska przyciągała studentów z całej Europy najwyższym poziomem wykładów z matematyki i astronomii.

Dyplom tylko tutaj

Uniwersytety miały jedyne i wyłączne prawo do nadawania stopni naukowych i dyplomów w całym świecie chrześcijańskim.

Traktaty Kopernika

grosz gdański

grosz krakowski

kwartnik krzyżacki

Ekonomia i Krzyżacy

W czasach Kopernika Krzyżacy psuli polską gospodarkę. Prusy Krzyżackie miały własny system pieniężny, oparty na monetach z mniejszą zawartością srebra niż polskie grosze. Poprzez handel między Prusami i Polską gorsza, mniej warta moneta krzyżacka dostawała się do obiegu w Rzeczypospolitej. Wartość pieniądza spadała, zaś ceny rosły coraz szybciej, gdyż w monetach było coraz mniej srebra. Mikołaj rozumiał, że dopóki biciem monety będą zajmować się aż cztery mennice: polska w Toruniu i krzyżackie w Elblągu, Gdańsku i Królewcu, dopóty będą się tam uciekać do przetapiania lepszej monety na gorszą, Rzeczypospolita będzie słabnąć, a Krzyżacy rosnąć w siłę.

Kopernik i piekarze

Widząc nędzę chłopów gnębionych wielkimi daninami na Warmii i w Prusach, Kopernik w 1530 roku napisał traktat. „Panis coquendi ratio" („Obrachunek wypieku chleba") z tablicami uczciwych cen chleba oraz opisem jego wypieku. Chodziło o wyliczenie rzeczywistych kosztów robienia chleba i ukrócenie nadmiernego zawyżania cen przez piekarzy.

O tym, że Mikołaj przez całe życie pracował nad słynnym odkryciem astronomicznym przeczytacie na sąsiedniej stronie. Czy jednocześnie był wielkim lekarzem? Wszystko wskazuje na to, że tak. Z medycznych studiów we Włoszech przywiózł ogromną wiedzę. W jego księgozbiorze znajdowało się co najmniej dziewięć, a być może nawet czternaście ksiąg o medycynie, co w owych czasach uchodziło za wspaniałą bibliotekę. Zachowały się recepty wypisywane jego ręką oraz świadectwa, że ludzie płacili mu za leczenie, ale także dziękowali za ratunek od choroby i śmierci. Był lekarzem swego wuja, biskupa Watzenrode oraz wielu duchownych na Warmii. Jego lekarska sława była tak wielka, że w 1541 roku książę Albrecht Hohenzollern wezwał go na swój dwór w Królewcu, by wyleczył jego przyjaciela, starostę von Kunheima. Mikołaj wywiązał się z zadania.

Czy Kopernik był matematykiem? Liczył znakomicie. Poza tym, badając ruch gwiazd i obroty ciał niebieskich, Mikołaj odkrył, że jeśli wewnątrz dużego okręgu toczy się okrąg o promieniu dwa razy mniejszym, to dowolny, lecz ustalony punkt małego okręgu zawsze porusza się po średnicy dużego.

Czy Kopernik był ekonomistą? W 1517 roku napisał „Traktat o monetach" lub „O szacunku dla monety". Wygłosił go publicznie w 1522 roku Zawarł w nim prawa ekonomiczne ważne do dziś. W tym najważniejsze – o tym, że gorszy pieniądz (fałszywy lub mniejszej wartości) zawsze wypiera pieniądz lepszy, dlatego też trzeba dbać o kontrolę nad tym, kto jakie pieniądze wypuszcza na rynek. W 1528 roku ukończył kolejny traktat – „Sposób bicia monety", dotyczący reformy pieniężnej w Polsce. Reformę rzeczywiście przeprowadzono kilka lat później według podobnych do kopernikańskich założeń. No i macie prawdziwego człowieka renesansu!

36 lat pracy nad teorią

„Wstrzymał słońce, ruszył ziemię…” – łatwo powiedzieć! Nim Mikołaj Kopernik ogłosił swe epokowe odkrycie, chciał być absolutnie pewny, że jest ono prawdziwe. Musiał mieć pełne przekonanie, że ogłasza światu prawdę. Że się nie pomylił w obserwacjach, obliczeniach i logice rozumowania. Dlatego praca nad teorią heliocentryczną, czyli nad udowodnieniem, że to Ziemia kręci się wokół Słońca, a nie odwrotnie, pracował aż 36 lat.

Pierwszy traktat, w którym sugerował tropy swych odkryć, powstał tuż po powrocie z włoskich studiów, w 1507 roku, i nosił tytuł „Commentariolus". Pięć lat później, w 1512 roku, Kopernik pisze traktat „De hypothesibus motuum coelestium a se constitutis commentariolus", czyli w wolnym tłumaczeniu „Krótki komentarz o hipotezach ruchów ciał niebieskich". W tym dziele po raz pierwszy Kopernik zwięźle nakreślił obraz świata, jaki wyłonił się z jego dotychczasowych obserwacji kosmosu. Traktat nie ukazał się drukiem, być może Kopernik uznał, że jeszcze nie jest dość dobrze przygotowany do obrony przed krytykami. Niemniej dzieło krążyło w ręcznych odpisach wśród astronomów w Polsce, Niemczech i Czechach.

W 1539 roku jedyny uczeń Kopernika, Jerzy Joachim Retyk z Wittenbergii, opublikował traktat „Narratio prima", w którym były już wyraźnie sformułowane poglądy i teorie Mikołaja. Dzieło okazało się niezwykle popularne, bo już w 1541 roku zostało ponownie wydane drukiem w Bazylei. Wreszcie, w tym samym roku, po dokonaniu ostatniej w życiu obserwacji astronomicznej – zaćmienia Słońca, Kopernik był absolutnie pewien, że jego teoria jest prawdziwa. Oddał więc swój najważniejszy traktat do druku. „De revolutionibus", księga, która zawierała pełen wykład jego teorii heliocentrycznej, ukazała się w 1543 roku, tuż przed śmiercią wielkiego astronoma.

Założenia teorii Kopernika

I Nie istnieje jeden środek wszystkich sfer niebieskich.

II Środek Ziemi nie jest środkiem Wszechświata, lecz tylko środkiem ciężkości, wokół którego obraca się Księżyc.

III Wszystkie sfery obiegają Słońce, które jest środkiem całego Wszechświata.

IV Odległość Ziemi od Słońca jest znikomo mała w porównaniu z wysokością firmamentu, czyli sklepienia niebieskiego i gwiazd. Ruch ciał niebieskich dostrzegany na firmamencie nie pochodzi z ruchu firmamentu, lecz z ruchu Ziemi.

V Ziemia wykonuje pełny obrót dzienny dokoła swych biegunów, podczas gdy firmament i najwyższe niebo pozostają nieruchome.

VI To, co nam się przedstawia jako ruch Słońca, pochodzi nie z jego ruchu, lecz z ruchu Ziemi i naszej sfery, wraz z którą krążymy dokoła Słońca. Ziemia ma przeto więcej niż jeden ruch.

VII Poziomy ruch prosty i wsteczny planet pochodzi nie z ich ruchu, lecz z ruchu Ziemi.

Kiedy Mikołaj Kopernik został kanonikiem, czyli urzędnikiem biskupa i „prawie-księdzem", mógł sobie wyobrażać, że czeka go życie nieco nudne, a na pasjonujące przygody zapewne nie ma co liczyć. I tu się mylił. Gdy wrócił po studiach z Włoch, gdzie zabłysnął rozlicznymi talentami, szybko uczyniono go urzędnikiem do zadań specjalnych. Mikołaj dał się poznać jako człowiek wielkich talentów i energii.

Jako osobisty lekarz i sekretarz biskupa Łukasza Watzenrode brał udział we wszystkich jego misjach i sprawach. Podróżował wraz z dostojnikiem na zjazdy i sejmy do Torunia, Malborka, Gdańska i Krakowa. Wygłaszał tam mowy, a na jednym z takich zjazdów w Grudziądzu wygłosił słynny traktat o poszanowaniu monety i ochronie wartości pieniądza.

Był rozchwytywany jako lekarz. Jego astronomiczne badania ogłoszone w traktatach zainteresowały dostojników Kościoła, a ci zlecili mu dokonanie dokładnych obliczeń ruchu planet i opracowanie poprawek do istniejącego wtedy kalendarza. W tym samym czasie Mikołaj urządzał obserwatorium astronomiczne we Fromborku, gdzie kupił na raty (tak tak, zupełnie jak my dzisiaj!) dom od kurii biskupiej, a także jedną z baszt obronnych we Fromborku, by obserwować z niej niebo. W tym czasie zlecano mu misje dyplomatyczne, wojskowe, zarządzanie Warmią i kierowanie osiedlaniem tam nowych obywateli. Jak Kopernik dawał sobie z tym wszystkim radę? Już powiedzieliśmy – był człowiekiem renesansu!

W tajnej i jawnej służbie Rzeczypospolitej

Dwukrotnie władze kościelne mianowały Kopernika administratorem majątku kościelnego na Warmii. W 1520 roku Kopernika wysłano z dyplomatyczną misją do Krzyżaków, by namówić ich do zwrotu miasta Braniewo, które zagarnęli i odebrali Polsce. Misja zakończyła się sukcesem. Niedługo potem mianowano go komisarzem Warmii. Oznaczało to, że skromny kanonik dostał niemal nieograniczoną władzę nad bogatą, ale leżącą na linii frontu prowincją. Wraz z pomocnikami objeżdżał ziemie warmińskie, organizował odbudowę wsi i miast po wojnach, wyznaczał miejsca dla osadników przybywających na te tereny, kierował naprawą dróg i młynów, a także wzmacniał fortyfikacje. Wiemy też, że pisywał tajemne listy do króla Zygmunta Starego, w których informował go o zagrożeniach.

Mapa Wapowskiego

Kopernik kartografem

Talenty matematyczne i znajomość kraju wynikająca z licznych podróży sprawiły, że Kopernik już w 1510 roku dostał zadanie sporządzenia mapy Warmii. Kilkanaście lat później podjął się opracowania dokładnych map Prus, Królestwa Polskiego i Litwy. Pracował nad tym z wybitnym kartografem Bernardem Wapowskim. To właśnie on wykonał w 1526 roku pierwszą dokładną mapę Rzeczypospolitej, na której wzorowano mapy jeszcze przez 200 lat. Opracował też szereg map Europy, o wiele doskonalszych niż rysowane wtedy w innych krajach. Jest nazywany ojcem polskiej kartografii.

Czy Kopernik się całował?

To sprawa dość tajemnicza: wiemy, że Mikołaj jako młody chłopak był zakochany w pięknej dziewczynie Annie. Czy spotykał się z nią jako dorosły? Czy się z nią całował? Na pewno wiemy, że Kopernik po uzyskaniu niższych święceń kapłańskich i mianowaniu go kanonikiem musiał dochować ślubów czystości. Nie wolno mu było ożenić się, ale też nie miał prawa do odprawiania mszy. Jako kanonik był urzędnikiem biskupa, ale żyjącym wedle rygorów osób duchownych.

A jednak Anna była obecna w życiu Mikołaja. Myśląc o niej, astronom często rysował na marginesach swych notatek liście bluszczu, które miał w herbie ojciec Anny – toruński medalier Maciej Schilling. Wiele lat później, gdy Kopernik mieszkał we Fromborku, miał gospodynię... Annę. W 1538 roku biskup Jan Dantyszek posądził Kopernika o romansowanie z Anną i nakazał ją natychmiast odprawić. Biskup zagroził Mikołajowi procesem kanonicznym, a to mogło oznaczać dla astronoma hańbę oraz pozbawienie wszystkich tytułów i godności, jakie osiągnął dzięki Kościołowi.

Ostatecznie Anna opuściła Frombork w 1539 roku i przeniosła się do Gdańska. Wiemy, że Kopernik przez następne trzy lata często bywał w tym mieście. Czy spotykał się tam z ukochaną? Tego nie dowiemy się prawdopodobnie nigdy...

Kopernik poetą i tłumaczem

Mikołaj podczas podróży na Sejm w 1509 roku złożył w krakowskiej drukarni Jana Hallera swój przekład dzieła greckiego historyka z VII wieku – Teofilakta Symokatty. Mikołaj osobiście przetłumaczył tę księgę na łacinę. Dzieło nosiło tytuł „Epistolae morales, rurales et amatoriae", czyli „Listy obyczajowe, sielskie i miłosne". Badacze literatury zwracają uwagę, że przekład listów miłosnych udał się Mikołajowi nadzwyczaj pięknie, jako że zawarł w nim wiele czaru, romantyzmu i prawdziwego natchnienia. Czy dlatego, że przekładał je dla Anny...? Jeden z wydrukowanych egzemplarzy utworu Mikołaj ofiarował w prezencie swemu wujowi i dobroczyńcy, biskupowi Łukaszowi Watzenrode.

Kopernik był też poetą! W 1512 roku ukazał się jego epigramat (czyli krótki wiersz, nieco podobny do fraszki, ale na poważny temat) napisany z okazji ślubu króla Zygmunta Starego z Barbarą Zapolyą. Napisał też po łacinie poemat pt. „Septem sidera" („Siedem gwiazd"), odnaleziony i opublikowany dopiero w 1629 roku przez badacza Jana Brożka.

Jaki dziś dzień?

Na to pytanie potrafimy dziś odpowiedzieć w miarę dokładnie. Ale tylko „w miarę", gdyż inną datę poda nam kalendarz obowiązujący w Europie, inną kalendarz arabski, a inną – izraelski. I nie chodzi tu o dzień tygodnia, ale o rok! A mamy przecież supernowoczesne przyrządy mierzące czas nawet w mikrosekundach!

W czasach Kopernika dokładny czas też podawano... w miarę dokładnie. Z kalendarzem były kłopoty. Zegary mechaniczne były bardzo niedokładne. Poza tym niewiele osób się na nich znało. A daty? Kto by się w tym połapał? Pisano na przykład nazwę miesiąca i aktualny rok panowania lokalnego króla. Średniowieczni kronikarze stawiali na przykład takie daty: „W dniu świętego Marcina, w roku trzecim panowania najjaśniejszego króla Kazimierza", albo „Tatarzy napadli na cztery dni przed obchodami Wielkiej Nocy...". Ale kiedy w owym roku była Wielkanoc, skoro to ruchome święto? I czy obchody zaczęto w wielkanocną Sobotę czy w Wielki Piątek? Historycy usiłujący odkryć, o jakie daty chodziło, bezsilnie rwą włosy z głów i z bród.

Wstrzymał słońce, uporządkował kalendarz

11 minut, które wstrząsnęły światem

Współczesny kalendarz wywodzi się z kalendarza rzymskiego. Starożytni Rzymianie dzielili rok na 365 dni (12 miesięcy po 30 dni oraz pięć dni dodatkowych). Kalendarz ten, nazwany juliańskim od imienia Juliusza Cezara, przyjął cały świat chrześcijański. 1500 lat później astronomowie zaczęli liczyć wszystko od początku i stwierdzili, że Rzymianie pomylili się z obliczaniem długości roku... o całe 11 minut.

Okazało się, że rok juliański jest dłuższy od tzw. roku zwrotnikowego, który dawał się wyliczyć z pomiarów astronomicznych. Rok zwrotnikowy miał o 11 minut mniej. Czy było o co podnosić raban? Tak, ponieważ już po tysiącu lat, tych minut uzbierało się na tydzień różnicy. I zrobił się problem z ustaleniem, kiedy przypada Wielkanoc – najważniejsze chrześcijańskie święto. Okazało się, że wiosna w naturze rozpoczyna się wcześniej, niż podawał kalendarz. A to stwarzało problemy w porządku odprawiania mszy oraz w terminach prac polowych.

Zmiana daty po drodze

Nawet wewnątrz jednego państwa daty w różnych miastach mogły być zupełnie inne. Brytyjski historyk R.L. Poole opisał taką, dość częstą, sytuację:

„Podróżny wyrusza z Wenecji. Podróż rozpoczyna 1 marca 1245 r., a więc pierwszego dnia roku weneckiego. Przybywając po siedmiu dniach do Florencji, znalazłby się w roku 1244 według lokalnej miary czasu. Zaś gdyby zachciało mu się pojechać jeszcze do Pizy, to w niej zaczynałby się już rok 1246. Zmieniając kierunek i udając się do Prowansji na południu Francji, wędrowiec znalazłby się ponownie w roku 1245. Opuszczając zaś ten kraj przed Wielkanocą (16 kwietnia), powróciłby do 1244 roku. Uff, zamiast wehikułu czasu wystarczył zwykły osiołek, na którym jechał".

Biskupi obradujący podczas Soboru Laterańskiego w 1513 roku poprosili najlepszych uczonych, matematyków i astronomów o pomoc przy naprawieniu kalendarza. To, że Kopernik znalazł się w tym gronie, świadczy, jak wielką cieszył się już sławą i poważaniem. Mikołaj opracował projekt polegający na tym, by radykalnie pozbyć się nadmiaru dni jednym śmiałym ruchem i zapomnieć o tym, że kiedykolwiek istniały. Dokonał pomiaru długości roku (365 dni 5 godzin 55 minut 58 sekund). Przy okazji obliczył też wiek świata, określając czas jego stworzenia na 3988 rok p.n.e. I tu nasz astronom trochę się pomylił, bo w tej wersji dziejów nie mieściły się dinozaury… Jednak jego projekt został odrzucony.

O tym, że jednak miał rację, Kopernik już się nie dowiedział. Dopiero 35 lat po jego śmierci, papież Grzegorz XIII powołał komisję, która w 1578 roku wybrała projekt nowego kalendarza autorstwa włoskiego matematyka Luigi Lilio, który korzystał… z wcześniejszych pomysłów Mikołaja Kopernika! Różnicy czasu pozbyto się, najzwyczajniej w świecie anulując 11 dni. 24 lutego 1582 roku papież wydał dokument, w którym oznajmił, że „następną datą po 4 października 1582 roku będzie 15 października". To oznaczało, że sporo osób nie obchodziło w tamtym roku urodzin, bo dni, gdy przypadała ich ważna uroczystość, wyparowały… Ale mieli pecha! Od imienia papieża Grzegorz XIII kalendarz nazwano gregoriańskim. Jako pierwsze kalendarz gregoriański przyjęły Włochy, Portugalia, Hiszpania i Polska. W końcu to we Fromborku powstały obliczenia, które tę reformę umożliwiły!

Pacierz zamiast zegarka

Zegarki do osobistego użytku wymyślono we Włoszech już w XV w., ale upowszechniły się dopiero w wieku XIX. Zegarków więc ludzie nie posiadali, ale modlić się potrafili. Dlatego „pacierz" stał się miarą czasu. „Pacierzem" nazywano odmówienie modlitwy „Ojcze nasz", co zajmowało ok. 25 s. W tym czasie, idąc pieszo, człowiek pokonywał ok. 35 m. Jeśli zagadnięty o drogę przechodzień odparł, że do kościoła jeszcze 12 pacierzy, oznaczało to, że po mniej więcej 5 minutach powinniśmy dotrzeć do celu.

Kalendarze z mądrościami

Dawniej również wierzono w astrologiczne przepowiednie, a więc w to, że różne układy gwiazd i planet mają wpływ na ludzkie sprawy. Zgodnie z tym zabobonem trzeba było czekać na dobry układ planet, by rozpocząć podróż czy dokonać transakcji handlowej. Prywatni astrologowie byli równie popularni, jak służący czy ochroniarze. Kalendarze były więc bardzo poczytne, choć nie dlatego, że można się było z nich dowiedzieć, czy 15 grudnia wypadnie wtorek czy środa. I tak np. w roku 1569 ukazał się „Kalendarz Świąt dorocznych y Biegów Niebieskich z wyborami czasów na Rok Pański 1569" autorstwa Jana Musceniusa z Kurzelowa. Można było tam wyczytać m.in.: „Przeciwny Merkurysza: nauczonym się przyłącz, dzień postom godny, kupiectwa wielkie poczynay, w drogę nie chodź, lekarstwa nie przymuy, na Alchimia ognia nie zapalay".

Dionizy, coś ty narobił?

Kościół, reformując kalendarz, musiał ustalić, od kiedy istnieje świat. Próbę podjął grecki mnich Dionizy Mały w VI stuleciu. Obliczył on rok narodzin Chrystusa i od tej pory czas dzielono na erę „przed" i „po" Chrystusie. Dionizy jednak dał plamę i pomylił się o cztery lata. A skoro tak, to np. zamiast świętowania nowego roku 2010 powinniśmy witać 2014 rok! Ale to jeszcze nie największa zagadka kalendarza…

Świadek historii

Z a życia Mikołaja dokonano wielu odkryć, historia Europy i świata weszła na nowe tory, wydarzyły się rzeczy, o których do dziś czytamy w podręcznikach historii. Oczywiście, nie wszystko jest zasługą Kopernika. Jednak nasz astronom w wielu doniosłych, historycznych wydarzeniach brał udział osobiście. Za jego życia Polską rządziło czterech królów, z których co najmniej dwóch Kopernik poznał osobiście. Dlatego mówi się o nim bez żadnej przesady, że był prawdziwym świadkiem historii. Wiemy już, że w jego czasach i w jego życiu wiele się działo. Teraz możemy zobaczyć, jak wiele…

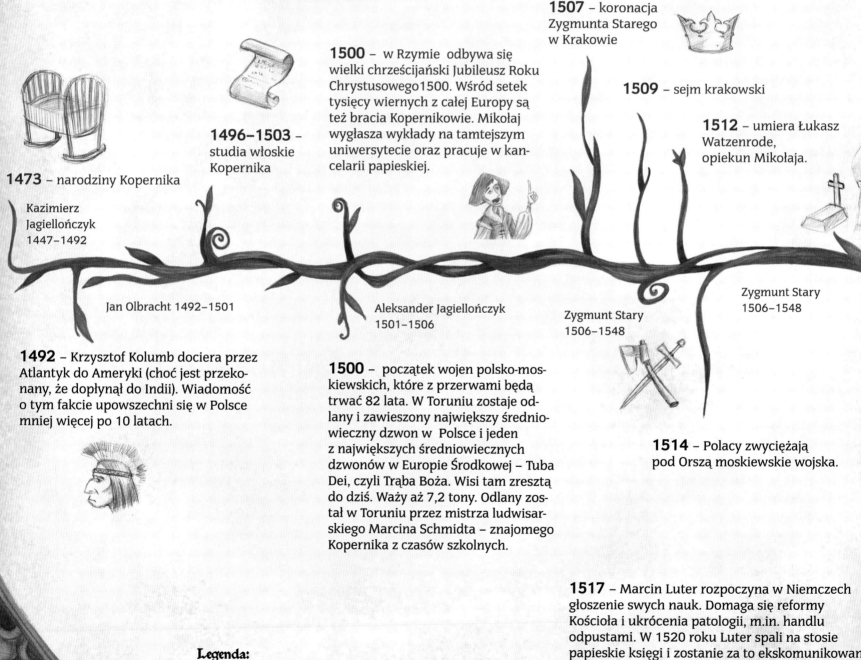

1507 – koronacja Zygmunta Starego w Krakowie

1500 – w Rzymie odbywa się wielki chrześcijański Jubileusz Roku Chrystusowego 1500. Wśród setek tysięcy wiernych z całej Europy są też bracia Kopernikowie. Mikołaj wygłasza wykłady na tamtejszym uniwersytecie oraz pracuje w kancelarii papieskiej.

1509 – sejm krakowski

1496–1503 – studia włoskie Kopernika

1512 – umiera Łukasz Watzenrode, opiekun Mikołaja.

1473 – narodziny Kopernika

Kazimierz Jagiellończyk 1447–1492

Jan Olbracht 1492–1501

Aleksander Jagiellończyk 1501–1506

Zygmunt Stary 1506–1548

Zygmunt Stary 1506–1548

1492 – Krzysztof Kolumb dociera przez Atlantyk do Ameryki (choć jest przekonany, że dopłynął do Indii). Wiadomość o tym fakcie upowszechni się w Polsce mniej więcej po 10 latach.

1500 – początek wojen polsko-moskiewskich, które z przerwami będą trwać 82 lata. W Toruniu zostaje odlany i zawieszony największy średniowieczny dzwon w Polsce i jeden z największych średniowiecznych dzwonów w Europie Środkowej – Tuba Dei, czyli Trąba Boża. Wisi tam zresztą do dziś. Waży aż 7,2 tony. Odlany został w Toruniu przez mistrza ludwisarskiego Marcina Schmidta – znajomego Kopernika z czasów szkolnych.

1514 – Polacy zwyciężają pod Orszą moskiewskie wojska.

1517 – Marcin Luter rozpoczyna w Niemczech głoszenie swych nauk. Domaga się reformy Kościoła i ukrócenia patologii, m.in. handlu odpustami. W 1520 roku Luter spali na stosie papieskie księgi i zostanie za to ekskomunikowany. W 1525 roku dojdzie w Niemczech do krwawych wojen chłopskich na tle religijnym i społecznym. Rodzi się nowe wielkie wyznanie – luteranizm.

Legenda:
- ▬ – Wydarzenia, których świadkiem był Kopernik
- ▬ – Inne ważne wydarzenia tego okresu
- ▬ – Królowie panujący w Polsce

1518 – Zygmunt Stary bierze ślub z Boną Sforzą, słynną „królową Boną". Zostaje ona koronowana na królową Polski.

1525– hołd pruski. Zakonne państwo krzyżackie zmienia się w państwo świeckie i zostaje lennem Rzeczypospolitej. To koniec ponad stu lat walk polsko-krzyżackich. Ale Polska hoduje sobie pod bokiem państwo, które kiedyś stanie się jej zgubą.

1526–1528 – reforma pieniężna w Rzeczypospolitej – ustanowienie trzech obowiązujących rodzajów monet: denarów, ternarów (3 denary) i groszy (18 denarów), wprowadzenie do obiegu groszy potrójnych (trzeciaków) i poszóstnych (szóstaków) oraz złotych dukatów. Ustalenie jednej wartości pieniądza dla Prus i Polski (z jedyną różnicą w postaci bicia w Prusach szelągów o wartości 6 denarów, zamiast ternarów).

1541 – Kopernik dokonuje ostatniej w życiu obserwacji astronomicznej – zaćmienia Słońca.

1519–1521 – wojna polsko-krzyżacka

1526 – powstaje pierwsza dokładna mapa Polski i Litwy.

1543 – śmierć Kopernika

Zygmunt Stary 1506–1548

Zygmunt Stary 1506–1548

1525–1526 – tumult gdański. Mieszczanie wyznający wiarę luterańską grabią kościoły, buntują się przeciw zwierzchności biskupów. Zygmunt Stary wysyła do Gdańska wojsko i wiesza przywódców buntu, a w mieście przywraca porządek.

1519 – 1522 – Ferdynand Magellan opływa dookoła kulę ziemską. Dowodzi tym samym, że Ziemia jest okrągła i można już z grubsza obliczyć, jak dużą jest planetą. Ale to, że Ziemia jest okrągła, nie oznacza, że porusza się wokół Słońca. Tego Magellan nie miał szans odkryć.

1537 – wojna kokosza, czyli wojna domowa w Rzeczypospolitej. Niezadowolona szlachta wystąpiła przeciw królowi, domagając się zmiany w rządzeniu Polską i unowocześnienia państwa. Rokosz, bo tak nazywano takie bunty, nie przyniósł żadnych zmian. Jedynym jego skutkiem było wyjedzenie przez zbuntowane oddziały drobiu w okolicach Lwowa. Stąd pogardliwy termin – „wojna kokosza".

Polska mocarstwem

Z kim walczyliśmy, a kogo lubiliśmy?

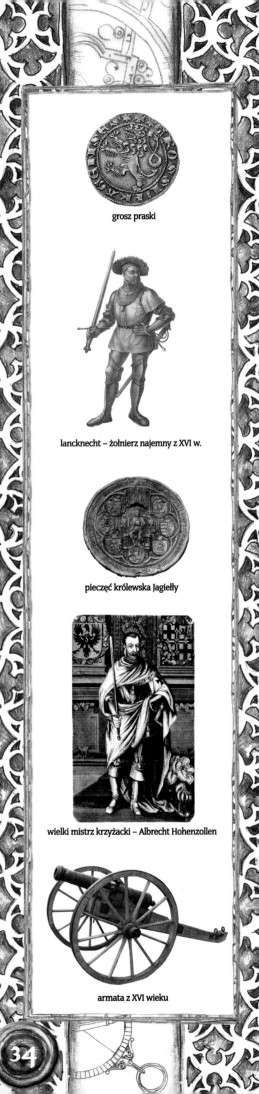

grosz praski

lancknecht – żołnierz najemny z XVI w.

pieczęć królewska Jagiełły

wielki mistrz krzyżacki – Albrecht Hohenzollen

armata z XVI wieku

Mikołaj Kopernik urodził się w w jednym z najsilniejszych państw ówczesnej Europy. W kraju, którego armia była w stanie wygrać z każdym wojskiem na kontynencie. Był poddanym dynastii, która do 1526 roku władała całą Europą Środkowo-Wschodnią i sięgała dosłownie od morza do morza, czyli od Bałtyku po Morze Czarne. Wiadomo jednak – im państwo potężniejsze, tym ma więcej zawistnych wrogów. Polska miała ich także sporo. Dosłownie mogła wybierać, z kim ma się po kolei zmierzyć…

Polska i Litwa, zjednoczone pod wspólnym panowaniem, budowały wielkie państwo od 1385 roku. Wtedy to wielki książę litewski Władysław Jagiełło ożenił się z królową Polski Jadwigą Andegaweńską i przyjął chrzest (Jagiełło był do tej pory poganinem). W 1410 roku rycerstwo polsko-litewskie udowodniło Krzyżakom pod Grunwaldem, że wspólne państwo nie istnieje tylko na papierze. I że potrafi zwyciężać wrogów.

W czasach Kopernika państwo krzyżackie nadal z Polską wojowało, ale już niemal wyłącznie przegrywało. I były to wojny nie o to, kto kogo pokona, ale również o to, kto komu odbierze kilka przygranicznych miast. Królowie polscy rządzili na terytorium rozciągającym się na prawie pół Europy. To rodziło respekt, ale też i troski kolejnych władców. Mieli ogromne państwo, ale niestety nie wystarczało im wojska, by pilnować rozległych ziem i długich granic.

Nie wiemy, czy Mikołaj Kopernik czuł się Polakiem od dziecka – czy uważał siebie za „torunianina", mieszkańca Prus czy też za potomka Niemców zadomowionego w Polsce. Wiemy jednak, że odkąd pełnił urząd kanonika warmińskiego, jego oddanie Polsce rosło. W 1512 roku Mikołaj, jako przedstawiciel warmińskiej kapituły, złożył przysięgę wierności królowi Zygmuntowi Staremu. Jak pokazały wypadki z wojny polsko-krzyżackiej, przysięgę traktował poważnie – gotów był za Polskę oddać życie na murach Olsztyna.

Rzeczpospolita Obojga Narodów

Bałtyk

Krzyżacy

Rosjanie

Litwini

Czesi

Polacy

Węgrzy

Turcy

Morze Czarne

Młody człowiek, który w czasach Mikołaja Kopernika marzył o rycerskiej sławie, miał wielką szansę zostać bohaterem (żywym lub martwym) w wielu wojnach. Jeśli ktoś w tamtych czasach chwalił się, że brał udział w dwudziestu bitwach, można było mu wierzyć. Potężne państwo miało bowiem wokół siebie równie potężnych wrogów. Na wschodzie Polska i Litwa toczyły wojny z Wielkim Księstwem Moskiewskim, które chciało być jeszcze większe, ale dotarło do granic Polski i dostało tęgie baty.

Od północy wciąż jeszcze wymachiwali mieczami Krzyżacy, którym trzeba było kilka razy przetrzepać skórę, by wreszcie poddali się Rzeczypospolitej i złożyli jej hołd. Na południu armie węgierskie dostawały tymczasem wielkie cięgi od imperium tureckiego. Polska wysyłała w tamte strony karne ekspedycje do krainy zwanej Pokuciem, by ukarać miejscowego księcia, który chciał nam odebrać ładny kawałek państwa. Przy tej okazji o mało nie doszło do wojny z Turcją. Król Zygmunt Stary zawarł jednak pokój z Turkami i zapewnił Polsce dość spokojne południowe granice. Udawało się to aż do 1620 roku. To chyba niezły sukces, prawda? Na prawie sto lat mieć pokój z mocarstwem dysponującym armią, która rzadko przegrywała bitwy, za to masowo ścinała głowy pokonanym przeciwnikom!

Czy Kopernik lubił przepych?

Stroje z epoki

Czy kanonikowi wypadało ubierać się modnie? Pewnie nie. Ale Kopernik zajmował wysokie stanowiska w Kościele, uczestniczył w sejmach i zjazdach, wysyłano go w dyplomatyczne misje. Wspaniale wyglądał w krótkim płaszczu ze skóry z odciętymi rękawami sięgającym kolan. Do tego modny i elegancki mężczyzna nosił wtedy obcisłe nogawice i – w lecie – dublet, czyli lekki obcisły kaftan. Wszystko po to, by podkreślić męską sylwetkę. Modne były też szerokie, bufiaste rękawy o wielu nacięciach, spod których prześwitywał materiał w kontrastowym kolorze.

Ulubionym obuwiem bogaczy były niskie buty z długimi, ostrymi noskami. Im były dłuższe, tym lepiej świadczyły o bogactwie i zamiłowaniu do luksusu tego, który je nosił. Nosek osiągał więc czasem takie rozmiary, że trzeba było go przywiązywać do kostki u nogi, by się nie przewrócić. W połowie XVI w. Kościół zaczął potępiać takie buty, krytykując je za... nieprzyzwoity kształt.

Renesans w Polsce

D obrze się ubierał – tyle można powiedzieć. Z całą pewnością nie wyglądał na pustelnika ani na ubogiego księdza. Jako kanonik miał spore dochody. Mimo że większość pieniędzy przeznaczał na bardzo drogie wówczas księgi oraz instrumenty do badań gwiazd, z pewnością żył dostatnio.

Ale czy lubił przepych? Czy jadał na srebrnych naczyniach? Czy zdobił ściany swych komnat obrazami lub bogato zdobionymi tkaninami? Czy wkładał pierścienie błyszczące od drogich kamieni? Tego nie wiemy. Jedyna ściana, którą Kopernik osobiście ozdobił znajduje się w olsztyńskim zamku. Astronom nie powiesił jednak na niej wspaniałego obrazu, ale wymalował pigmentem tablicę astronomiczną. Stało się to na murze krużganka, tuż nad wejściem do komnaty, w której mieszkał, goszcząc na zamku.

Ale czy lubił przepych? – spytamy po raz trzeci. Nawet jeśli go nie lubił, musiał w nim żyć i do niego się przyzwyczaić. Polska stawała się piękniejsza, bardziej kolorowa, radosna i coraz bogatsza. Mikołaj z pewnością nosił więc modne, miękkie aksamitne berety, które rozpościerały się nad głową jak ogromna chmura oraz szaty podkreślające jego pozycję społeczną. Do codziennego życia przepych i bogactwo zaczęły bowiem wchodzić wielkimi krokami.

Wuj, co lubił bogactwo

Biskup Watzenrode miał słabość do pięknych przedmiotów i luksusu. Dziś powiedzielibyśmy, że był mistrzem autopromocji. Potrafił zadbać o swój wizerunek. Wydawał mnóstwo pieniędzy na dzieła sztuki i przedmioty, które w owych czasach uchodziły za zbytkowne. Badacze i historycy przyznają, że musiał mieć znakomity gust i znać się na sztuce. Niestety, kosztowne zakupy nadwyrężyły kościelną kasę. Rachunki za te zakupy kapituła spłacała jeszcze długo po jego śmierci. A nawet wtedy o biskupie mówiono tylko w superlatywach. Czemu? Bo wspaniałe epitafium pośmiertne chwalące cnoty biskupa ułożył sobie jeszcze za życia... sam Watzenrode.

Czemu o tym wspominamy? Ponieważ to Watzenrode ukształtował Kopernika, umożliwił mu naukę i pokazał nowe horyzonty. Nie jest możliwe, by Mikołaj, towarzysząc swemu wujowi, nie przyzwyczaił się do luksusów i nie polubił eleganckich strojów.

Renesansowe arkady na Wawelu

Cała Polska w renesansowych szatach

Gdy na tronie w Krakowie zasiadł Zygmunt Stary, sprowadził do Polski włoskich artystów: malarzy, rzeźbiarzy i architektów, w czym wspierała go włoska żona, słynna królowa Bona. Państwo było coraz bogatsze i silniejsze, nie brakowało więc ludzi, których stać było na zamawianie drogich dzieł sztuki, budowę pałaców i kościołów zgodnie z nową modą. W XVI stuleciu powstało w Polsce kilkaset wspaniałych budowli według najlepszych włoskich wzorów. Przebudowano też wiele zamków z gotyckich na renesansowe. Miasta i siedziby najbogatszych magnatów zadziwiały zagranicznych gości nowoczesnością. Polska wypiękniała za życia zaledwie dwóch pokoleń.

Rozwój szkolnictwa

Renesansowa Polska dbała o edukację. W 1488 roku powstało pierwsze w Europie towarzystwo literackie, do którego należeli dworzanie królewscy oraz profesorowie Akademii Krakowskiej. W XVI wieku założono uniwersytety w Królewcu (1544), Wilnie (1579) i w Zamościu (1594). Nie udało się ufundować uniwersytetu we Wrocławiu, a to za sprawą profesorów z Akademii Krakowskiej, którzy nie chcieli, by niedaleko od nich powstała konkurencyjna uczelnia.

Zamość

Natomiast bogate kobiety nosiły niekiedy buty na obcasach wysokości... 50 centymetrów. Trudno było w nich stać i chodzić, więc damy wspierały się na służących lub podróżowały w lektykach.

Długie suknie obszywane futrem były największym krzykiem mody.

Zmieniały się nie tylko stroje. Wyobraźcie sobie, że damy goliły sobie włosy na przedzie głowy, aby czoło sięgało jak najwyżej i by podkreślić elegancję zdobiącego głowę nakrycia – misternie upiętej chusty, czepca z drogimi kamieniami lub aksamitnego, włoskiego beretu.

Ostatnia wojna polsko-krzyżacka

Do wojny doszło, gdyż Wielcy Mistrzowie zakonu krzyżackiego nie zamierzali składać przysięgi na wierność królowi polskiemu. Pragnęli całkowicie uniezależnić się od Polski. W 1519 roku zaatakowali Polskę, rabując Warmię i usiłując zająć Mazowsze. Jednak wojna im się nie udała. Polacy obronili Olsztyn i zdobyli kilka twierdz krzyżackich, m.in. Kwidzyn. W 1521 roku Krzyżacy bez szans na zwycięstwo prosili już o rozejm, a w 1525 roku doszło do hołdu pruskiego – czyli do ostatecznej likwidacji państwa krzyżackiego w Prusach.

Zamek olsztyński

Zamek olsztyński zbudowano w połowie XIV stulecia na skraju miasta, opodal przepływającej tam rzeki – Łyny. Otoczono go murami obronnymi i głęboką fosą. Tuż przed wojną z zakonem przebudowano i podwyższono do 40 metrów główną wieżę, a mury podniesiono do 12 metrów.

W 1410 roku, po bitwie pod Grunwaldem, Olsztyn poddał się bez walki Polakom. W czasie wojny trzynastoletniej (1454––1466), kilkakrotnie zdobywany, przechodził z rąk do rąk. W 1521 roku oparł się Krzyżakom. Ale 200 lat później jego mury były bez szans w starciu z nowoczesną artylerią, więc przestał być twierdzą, a część umocnień rozebrano. Dziś mieści się w nim Muzeum Mazurskie. Urządzane są tam też turnieje rycerskie.

Kopernik na murach Olsztyna

Jak Kopernik fortyfikował Olsztyn

W ojnę czuć było od dawna. Od 1518 roku żołnierze zakonu krzyżackiego najeżdżali na Polskę, by rabować i palić wsie. Gdy po wybuchu wojny Kopernika mianowano administratorem dóbr kościelnych, zaraz przystąpił do fortyfikowania miasta i wzmacniania zamkowych murów. Kupował gdzie się dało broń, produkty do wyrabiania prochu oraz sól do peklowania mięsa na wypadek długotrwałego oblężenia.

Na szczęście król Zygmunt Stary przysłał pomoc. W Olsztynie zjawiła się setka najemnych Czechów pod wodzą Henryka Peryka i setka Polaków, którą przyprowadził Paweł Doluski. Wreszcie do twierdzy olsztyńskiej zjechało 700 konnych rycerzy rotmistrza Słupeckiego. Kopernik zadbał o to, by nie nudzili się na zamku. Osobiście pilnował rozstawiania straży. Dbał, by ludziom na murach wydano kusze oraz hakownice strzelające żelaznymi kulami. Nakazał ciosać długie drągi, na których końcach oprawiano chłopskie widły. To świetny sposób na odpychanie przystawianych do murów drabin, po których mogliby wspiąć się napastnicy. Gdy Krzyżacy 16 stycznia 1521 roku otoczyli Olsztyn, spodziewali się, że wejdą do miasta bez walki. Wielki mistrz Albrecht wysłał do Kopernika pismo z żądaniem poddania się. Kopernik odpowiedział, że zamku będzie bronić do końca. Odwaga się opłaciła, Krzyżacy nie mieli sił na oblężenie miasta. Po nieudanym nocnym ataku, pobici odeszli spod olsztyńskich murów.

Z pamiętnika Kopernika

Teraz, kiedym już ochłonął po nocnym boju z Krzyżakami, wspominam tego, kto mi oczy na sztukę wojenną otworzył. Pamiętam niezwykłe spotkanie w domu biskupa Franciszka Soderiniego, w roku jubileuszowym 1500-nym, gdy podróżowałem po Italii.

We Florencji zatrzymałem się u Soderiniego. To wielki przyjaciel wuja Łukasza Watzenrode, zaś brat jego, Piotr, dowodził miejską milicją we Florencji. Wśród gości był też człek zwany Leonardem z Vinci. Wieczór cały i noc przeszły nam na rozmowach. Leonardo chętnie słuchał mych o gwiazdach spostrzeżeń. Od razu zaczął wymyślać, jak duża potrzebna jest armata, by wystrzelić człeka tak wysoko, by on całą kulę ziemską ujrzeć mógł i Księżyc z bliska. Kiedym zaprotestował, że człek ów spadając na Ziemię, zabiłby się, Leonard pokazał mi szkic urządzenia do spadania, uszytego na podobieństwo spiczastego dachu. Takim sposobem — powiadał — człek opadnie powoli i bez szkody. Ale i tak wydało mi się niemożliwe, by człowieka wystrzelić poza Ziemię. Przecież proch z owej armaty mógłby go poparzyć, a na pewno podpalić mu ubranie!

Leonard opracował akurat dla weneckiej republiki projekty obronnych fortyfikacji. Objaśniał, jak najlepiej armaty zataczać na mury, jak lufy hakownic i rusznic łączyć w wiązki, by kule jednocześnie leciały jak rój pszczół. I kiedym Olsztyn do obrony sposobił, wszystko to mi się przypomniało, jakby spotkanie z Leonardem ledwie wczoraj było.

List, który nie dotarł do króla...

Pod wieczór 15 listopada 1520 roku do bram Olsztyna załomotali uchodzący przed Krzyżakami ludzie. Okazało się, że wojska zakonne zajęły Frombork oraz Dobre Miasto i kierują się na olsztyńską twierdzę. Mikołaj napisał wtedy list do Zygmunta Starego. Listu jednak król nie przeczytał, gdyż posłańca pojmali Krzyżacy. Mimo to król dowiedział się o zagrożeniu, choć pomóc już nie zdążył. Oto treść listu:

Pokornie błagamy Wasz Święty Majestat, aby raczył jak najspieszniej przyjść nam z pomocą i wesprzeć skutecznie. Pragniemy bowiem czynić to, co przystoi ludziom szlachetnym i uczciwym; bez reszty oddanym Waszemu Majestatowi – nawet jeśliby przyszło nam zginąć...

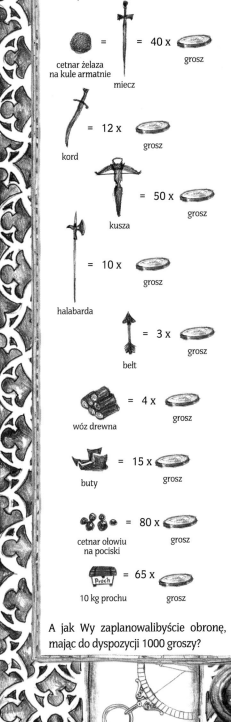

Co kupował Kopernik?

Jeśli zamek miał być gotowy do obrony, nie mogło brakować w nim broni i amunicji. Jednak wyposażenie załogi kosztowało majątek. Spójrzcie na poniższe zestawienie, mając na uwadze, że kucharz zarabiał wówczas do 8 groszy tygodniowo, a robotnik – 1,5 grosza dziennie. Warto też wiedzieć, że gotowy „kamień" (10,5 kilo) prochu starczał na strzał ze średniego działa lub na 5 strzałów z lekkiego, zaś wystrzelenie 100 kg pocisku kosztowało 78 groszy. Trzy takie strzały dawały równowartość dobrego konia albo rocznego utrzymania licznej rodziny!

cetnar żelaza na kule armatnie = 40 x grosz

miecz

kord = 12 x grosz

kusza = 50 x grosz

halabarda = 10 x grosz

bełt = 3 x grosz

wóz drewna = 4 x grosz

buty = 15 x grosz

cetnar ołowiu na pociski = 80 x grosz

10 kg prochu = 65 x grosz

A jak Wy zaplanowalibyście obronę, mając do dyspozycji 1000 groszy?

hełm piechoty typu cabasset

kolczuga

kusza

miecz jednoręczny

włócznia

halabarda

Szesnastego stycznia, Roku Pańskiego 1521, Mikołaj Kopernik nie może zasnąć. Jak zwykle tkwi nocą w oknie zamkowej komnaty, patrząc w gwiazdy, do których tak mu tęskno. Ale badać nie może ich od dawna, pochłonięty ważnymi państwowymi zadaniami.

Mikołaj przeniósł zmęczony wzrok na dół, na biel śniegu, tej nocy nabierającą błękitnego odcienia. Co to za ruch na przedpolu twierdzy!? Ciemne postacie biegną przez zamarzniętą fosę, wprost do Bramy Młyńskiej. W mroźnym powietrzu niesie się echo głuchych uderzeń o dębową furtę. Na murach słychać krzyki straży.

– Bywaj! – woła Kopernik, odrywa się od okna, do pasa troczy włoski sztylet, pamiątkę ze studiów w Bolonii. Po namyśle bierze jeszcze krótki szwajcarski miecz, podarowany przez dowódcę zaciężnego oddziału Czechów, którzy niedawno wzmocnili załogę twierdzy. Mikołaj wie, że w bitwie nie przeżyłby nawet pół minuty. Nigdy nie ćwiczył fechtunku ani żadnej sztuki walki. Ale odpowiada za obronę zamku. Wie, że powinien dowodzić z bronią w ręku.

– Wasza wielebność… ratujcie się, nie idźcie tam! – protestuje zamkowy strażnik, zdziwiony widokiem dostojnego kanonika z mieczem i sztyletem. – Nie na tom królowi Zygmuntowi wierność przysięgał, aby jak białogłowa siedzieć w komorze. Trąbić larum! Piechota ku furcie! Puszki narychtować i ognia na fosę! – komenderuje Kopernik i dosłownie wypycha strażnika z komnaty.

Biegną po kamiennych schodach, po skrzypiącym śniegu. U wyrąbanej furty trwa regularna bitwa. Pierwszych Krzyżaków, którzy wpadli do zamku zmiotły salwy ołowiu z hakownic i rusznic. Jednak już następni wdzierają się na dziedziniec. Wycinają w pień polskich strzelców, których nie miał kto bronić, gdy ładowali powtórnie rusznice. Biegną otwierać główną bramę. Wtem uderzają na nich czescy najemnicy Henryka Peryka. Szczęk tasaków, toporów i mieczy odbija się echem od ceglanych murów. Dźwięczny ton stali uderzającej o stal zagłuszają krzyki rannych żołnierzy. Ktoś zapala smolne kufy. Pomarańczowe, drgające światło wyłania walczących z ciemności, sprawia, że ich cienie także rozgrywają upiorną bitwę widm. Widać czarną krew na śniegu, porzucony oręż, odcięte ręce i rozrąbane głowy. Obrońcy dostrzegają znaną im postać kanonika Mikołaja, który zarządzał przygotowaniami do obrony, a teraz mieczem pokazuje na bramę. Oto dobiega rota miejskich drabów, jak wielki jeż stroszący halabardy i glewie. Unoszą je ponad ramionami skrwawionych w gwałtownym boju czeskich towarzyszy. Zakłuwają Krzyżaków, niemal bezbronnych wobec straszliwych ostrzy osadzonych na dwumetrowych drzewcach. Ale Niemcy nie proszą pardonu. Trup pada po obu stronach. Konający zbrojni ciężko walą się w śnieg.

Grzmią taraśnice i moździerze, z ich bluzgających ogniem paszcz lecą żelazne kule, ryglując dostęp do bramy. Z murów z sykiem opadają maźnice ze smołą, już całe przedmurze jest jasno oświetlone. Kusznicy na wieży celują pewnie. Napastnicy cofają się – nie spodziewali się takiej obrony. Porzucają drabiny, po których nie zdążyli wdrapać się na mury. W plecy uciekających godzą z morderczym świstem śmiercionośne bełty. Nie chroni przed nimi żadna zbroja.
– Już po wszystkim, wasza wielebność – sapie oficer z nocnej straży w wyszczerbionym od ciosu mieczu kapalinie. Siła ich podeszło, ale i siła my ich wycięli…
– Palić beczki smolne, w rogi dąć, niech wiedzą, że twierdza nie śpi. Lonty mieć narychtowane, oni wrócić mogą. Niech Słupecki bierze trzy dziesiątki ludzi i w podjazd rusza, baczyć czy wokół zamku innych wrogów nie masz! – rozkazuje Mikołaj, wskazując mieczem poza mury. Czterdziestoośmioletni kanonik czuje, że emocje ścisnęły mu gardło, spocona dłoń ledwie trzyma rękojeść miecza, a pod długą szatą dygocą mu kolana. Odparli atak!

Mikołaj Wodka

Był świetnym lekarzem i znakomitym astronomem. Jego specjalnością była gnomonika (sztuka sporządzania zegarów słonecznych) – tym zachwycił młodego Mikołaja, który pomagał mistrzowi w konstruowaniu zegara słonecznego. Zegar zainstalowano na wieży katedry we Włocławku. Pokazywał godzinę, znak zodiaku, w którym aktualnie znajdowało się słońce, a także przez ile godzin będzie widno, nim zajdzie słonce. Część naukowców przyznaje, że Mikołaj niewiele jeszcze wtedy wiedział o gwiazdach, więc zapewne co najwyżej namalował znaki zodiaku na tarczy zegara.

Wojciech z Brudzewa

Astronom i znakomity matematyk, a także filozof, pedagog i dyplomata. W Akademii Krakowskiej nauczał przez 20 lat i uznawano go za wybitnego profesora. Był sceptyczny wobec teorii Ptolemeusza. Jako pierwszy stwierdził, że Księżyc porusza się po elipsie i że w stronę Ziemi zwrócony jest zawsze tylko jedną stroną. Dzięki niemu Mikołaj odkrył, że najbardziej ze wszystkich nauk fascynuje go astronomia.

Dominik Maria Novara

Słynny boloński profesor i astronom. Mikołaj był jego uczniem, a następnie współpracownikiem. To była dla młodego przybysza z Polski wielka nobilitacja – Novara był od niego starszy o 18 lat i cieszył się wielką sławą. Razem dokonywali ważnych obserwacji astronomicznych – m.in. ruchów i zaćmienia gwiazdy Aldebarana oraz ruchów Księżyca. Novara uważał, że teoria Ptolemeusza zawiera błędy i braki. Młody Mikołaj pod wpływem mistrza zaczął coraz śmielej i krytyczniej odnosić się do oficjalnej nauki o budowie świata.

Kto pokazał mu gwiazdy?

Kopernik miał szczęście. I to podwójne. Po pierwsze – ponieważ trafił mu się bogaty wuj-biskup, który pokierował jego wykształceniem. Po drugie – tam, gdzie pobierał nauki, trafił pod opiekę profesorów, którzy potrafili dostrzec w młodym człowieku ogromne talenty i odpowiednio nimi pokierować. Gdyby nie oni, Mikołaj z Torunia zrobiłby może karierę kościelną lub jako lekarz, a w gwiazdy patrzyłby jedynie, by je podziwiać. Ale Kopernik miał szczęście. Wiadomo, że to on „wstrzymał Słońce i ruszył Ziemię", jednak musieli znaleźć się tacy, którzy pomogli mu dostrzec, że Ziemia wymaga „poruszenia". Mikołaj Wodka zwrócił uwagę młodego Mikołaja na zagadkowość ruchów gwiazd i nakłonił go do ich matematycznego mierzenia. Wojciech z Brudzewa zainteresował Kopernika hipotezą, że Ziemia wcale nie musi być środkiem świata, bo nie ma na to przekonujących dowodów. Zaś Dominik Maria Novara pokazał mu nowoczesne (wtedy!) metody obserwacji nieba i obliczania ruchu gwiazd. Pod opieką takich mistrzów Mikołaj mógł zostać prawdziwie światowej klasy astronomem.

Mikołaj, który znalazł drogę

Kopernik w swym dziele „Komentarzyk do ruchu ciał niebieskich" wykazał braki w teorii Ptolemeusza. Mówiąc krótko – odkrycie Kopernika uprościło model wszechświata i uczyniło go prawdziwym.

Kopernik odkrył, że ruch samej Ziemi wystarcza do wyjaśnienia wielu pozornych ruchów gwiazd na niebie. W ten sposób odesłał Ptolemeusza wraz z jego deferentami i epicyklami do muzeum nietrafionych pomysłów. Tym samym model wszechświata nadal przedstawiał karuzelę, ale w jej centrum nieruchomo stało Słońce, zaś dookoła niego po małych i dużych orbitach krążyła Ziemia i inne planety, zupełnie jak dzieci siedzące na fotelikach zawieszonych na krótszych i dłuższych łańcuchach. Ponieważ Słońce jest środkiem – nazywamy tę teorię heliocentryczną (Helios to grecki bóg słońca).

Ptolemeusz, który pobłądził

Nim Mikołaj Kopernik ostatecznie dowiódł, jak nasz wszechświat wygląda, przez ponad 1400 lat astronomowie w Europie uważali, że Ziemia jest pępkiem świata, i to dosłownie. Według nauki Ptolemeusza, Ziemia miała znajdować się w centrum kosmosu. Tkwiła nieruchomo, jak pomarańcza zatrzymana w powietrzu przez czarodzieja. Wokół niej krążyły planety, gwiazdy oraz Słońce. Ponieważ Ziemia miała być centrum wszechświata, teoria Ptolemeusza nazywała się teorią geocentryczną (*gea* to po grecku ziemia). Teoria ta była bardzo skomplikowana. Uczony dowodził, że planety krążą wokół Ziemi po kolistych orbitach, które nazywał deferentami. Dodatkowo niektóre planety wykonują małe kółeczka zwane epicyklami i tak biegając w małym kółeczku, jednocześnie okrążają Ziemię po dużym kole – deferencie. Dlatego raz pojawiają się na niebie w takim, a raz w innym miejscu. A że „skaczą" po niebie – przekonajcie się sami, obserwując np. Wielki Wóz. O każdej porze roku gwiazdozbiór ten jest zupełnie gdzie indziej!

Według teorii Ptolemeusza, świat przypominał wielką karuzelę z Ziemią pośrodku, wokół której Księżyc, Słońce i planety jadą jak dzieciaki w plastikowych filiżankach, które dodatkowo wirują w kółeczko, niczym małe karuzelki. Trudno wam to sobie wyobrazić? A zapamiętaliście, co to są epicykle? Nie wiecie? No to już wiecie, co by wam groziło w szkole Kopernika za nieuważanie. Lanie!

Ptolemeusz

Był starożytnym uczonym pochodzącym z Grecji. Napisał wiele prac naukowych z matematyki, astronomii, geografii i muzyki. Badając kosmos, ustalił model ruchu ciał niebieskich przypominający wspomnianą karuzelę z małymi karuzelkami kręcącymi się wokół niej. Jego teoria budowy świata obowiązywała przez 14 stuleci. Ptolemeusz obliczał też obwód Ziemi, ale „nieco" się pomylił – o prawie jedną czwartą długości równika. Przewidział też (bo sprawdzić nie był w stanie), że po drugiej stronie Ziemi leży kontynent południowy „Terra Australis". Opisał też dość dokładnie wyspy brytyjskie, a także kraje pomiędzy Bałtykiem i Dunajem. Jednak jego model kosmosu nie był już ani tak dokładny, ani prawdziwy, jak mapy jego autorstwa.

Dzieło życia

Kopernik pracował nad swym gigantycznym dziełem ponad 30 lat. Spisał je w sześciu księgach. Przedstawił w nich szczegółowo teorię heliocentryczną oraz to, w jaki sposób ją odkrył, zbadał i sprawdził, że jest prawdziwa. Nasz astronom nawet przez chwilę nie wątpił, że wszechświat jest stworzony przez Boga. Postrzegał go tylko nieco inaczej, niż się to ludziom do tej pory zdawało. Nazywa wszechświat odbiciem Boga, które uwidacznia się w jego regularności, pięknie, czystości i doskonałości. Świat – pisze Kopernik – jest czystym dziełem sztuki stworzonym przez największego artystę, czyli Boga. Niebo zaś porównał do Boga widzialnego.

Wszechświat za czasów Kopernika

Hic sunt leones – „tam są lwy" – pisali starożytni Rzymianie przy krawędziach map, na terenach, o których tylko słyszeli, że istnieją, ale nie mieli pojęcia, co się tam znajduje.

Minęło czternaście stuleci i nadal białych plam było na mapie więcej niż terenów odkrytych i opisanych. Oczywiście, Europejczycy wiedzieli, że za południowym morzem greckim leży Ziemia Święta i Jerozolima, że „gdzieś tam" leżą bajecznie bogate Indie i tajemnicze Chiny, że lądy oblane są morzami. Uczeni w piśmie, którzy przeczytali traktaty Ptolemeusza, wiedzieli, że „gdzieś tam jeszcze dalej", po drugiej stronie kuli ziemskiej, prawdopodobnie znajduje się kontynent „Terra Australis". Z naciskiem na słowo „prawdopodobnie". W każdym razie, gdy Krzysztof Kolumb przepłynął Ocean Atlantycki, był przekonany, że dotarł do Indii, tymczasem natknął się na Amerykę, o której istnieniu Ptolemeusz nie miał pojęcia.

W XV wieku uczonych nie było jednak zbyt wielu, a nawet i oni częściej studiowali Biblię niż zagadnienia geografii. Dlatego o tym, jak wygląda świat, można się było nasłuchać nieprawdopodobnych bredni, zmyśleń i niepoważnej paplaniny. Największe głupstwa opowiadali żeglarze, gdyż dzięki temu mieli ogromny szacunek jako ci, którzy widywali rzeczy niedostępne dla zwykłych śmiertelników. Kwitły więc opowieści o morskich wężach łykających gwiazdy, o morzach, które przelewają się przez krawędź świata w kosmos i o słońcu, które dlatego jest czerwone, gdy zachodzi, bo zanurza się w otchłań piekielną, która, jak wiadomo, znajduje się tuż poniżej linii horyzontu…

Gossouin mierzy drogę do gwiazd

„Stąd do niebios, gdzie położone są gwiazdy, odległość jest bardzo wielka; jest to bowiem dziesięć tysięcy i pięćdziesiąt pięć razy tyle, ile wynosi wielkość Ziemi. Gdyby człowiek szedł prosto, nie zatrzymując się, przechodząc każdego dnia drogę dwudziestu pięciu mil francuskich i nie męcząc się po drodze, to musiałby podróżować przez lat siedem tysięcy sto i pięćdziesiąt siedem i pół i wtedy dopiero przeszedłby taką odległość, jaka jest stąd do niebios, gdzie położone są gwiazdy" (traktat Gossouina z Metzu z połowy XIII wieku).

Portrety naszego świata

Większość ludów i kultur rozsianych po całym świecie wierzyło, że Ziemia jest płaska jak naleśnik i nieruchomo tkwi sobie w środku świata. Za to Słońce biega wokół niej jak posłuszny piesek. Hindusi umieszczali ją na grzbietach czterech słoni, które z kolei stały na skorupie żółwia, a ten pływał dostojnie po powierzchni nieskończonego oceanu. Z kolei starożytni Egipcjanie wierzyli, że Ziemia to bóg Qeb spoczywający na boku, a bogini Nut, nachylona nad nim jest widziana przez nas jako niebo. Babilończycy upierali się, że Ziemia to góra wystająca z morza, a Słońce wychodzi na świat o poranku i chowa się na noc za drzwiami wykutymi w jej zboczu.

Msza na grzbiecie wieloryba

Nieustraszeni żeglarze przyjęli jako swego patrona św. Brendana z Clonfert, uczonego opata, który wedle biografów wybudował w Irlandii mnóstwo klasztorów, a następnie wybrał się w podróż morską wraz z siedemnastoma mnichami, aby odnaleźć Ziemię Obietnicy Świętych. Podróż świętego miała trwać 7 lat. Żeglarze napotkali wiele potworów, np. morskiego kota. Kilka nocy spędzili na grzbiecie wieloryba, gdzie Brendan odprawił mszę! W 1976 roku grupa zapaleńców skrzyknięta przez Timothy Severina podjęła wyprawę śladami Brendana. Na zrekonstruowanej średniowiecznej łodzi przebyli trasę z Irlandii w kierunku Islandii, a następnie wzdłuż wybrzeży Grenlandii dotarli do Nowej Funlandii w Ameryce. Udowodnili w ten sposób, że taka wyprawa była możliwa. Może rzeczywiście Brendan dotarł do Ameryki przed Kolumbem?

Greckie teorie

Już ok. 2500 lat temu starożytni Grecy wyliczyli, że Ziemia powinna mieć kształt kuli, ale uznali, że nie może ona tkwić sobie w kosmosie nieruchomo, uznali więc, że podtrzymuje ją tytan Atlas. Nie wszystkim się ten pomysł podobał. Tales z Miletu (625–547 p.n.e.) nauczał że Ziemia jest płaskim okrągłym dyskiem, pływającym po wielkim morzu, który zlepił się z oceanów, ziemi i innych przedmiotów. Z kolei Anaxymander z Miletu (610–546 p.n.e.) twierdził, że Ziemia wisi w przestrzeni otoczona kręcącym się sklepieniem z dziurą po środku. Przez tę dziurę świeci rajski ogień, który my uznajemy za Słońce. Pierwszym człowiekiem, który uznał Ziemię za kulę był Pitagoras (570–480 p.n.e.) – grecki matematyk. Ale dopiero filozof Arystoteles (384–322 p.n.e.) udowodnił to, argumentując, że cień rzucany przez Ziemię na Księżyc podczas jego zaćmienia ma okrągły kształt, a taki może dawać tylko kula. Prawdę mówiąc, jeszcze dwa tysiące lat po tym odkryciu większość mieszkańców świata na wieść o tym, że żyją na kuli, zadawała dość logiczne pytanie: „To jak żyją ci po drugiej stronie – do góry nogami?!". Nie znano wtedy jeszcze zjawiska przyciągania ziemskiego.

Trzecia planeta, a nie pępek świata

Kopernik założył trzy rodzaje ruchu Ziemi: w 24 godziny Ziemia obraca się wokół własnej osi, w ciągu roku, tak jak inne planety, okrąża Słońce, także jej oś wykonuje ruch precesyjny – zmienia swe nachylenie. Był to prawdziwy przełom – to nie Ziemia, ale Słońce miało być odtąd w centrum wszechświata. Według Kopernika Ziemia była jedną z planet okrążających Słońce, nawet nie najważniejszą, bo dopiero trzecią w kolejności.

Jak walczono

z tymi, którzy odkryli za dużo?

Gdyby Kopernik się pospieszył...

...i ogłosił swe dzieło np. dziesięć lat wcześniej, zapewne pozbawiono by go urzędów, godności kanonika, majątku, a może nawet wtrącono do więzienia. Na pewno musiałby się wyprzeć wszystkich swoich odkryć oraz prawdy o Wszechświecie, w którą wierzył, a więc podeptać dzieło, nad którym pracował przez całe życie. Egzemplarze jego książki oraz wszystkie notatki zostałyby z pewnością spalone.

Uczeń Kopernika i wielu jego przyjaciół namawiało go, by opublikował dzieło wcześniej. Mikołaj podobno tak im odpowiadał: „Żądają tego ode mnie liczni wybitni i uczeni mężowie. Gdyż im bardziej absurdalna wydaje się innym moja nauka o ruchu Ziemi, tym większy podziw będzie i podziękowanie, jeśli przez opublikowanie badań pozór absurdu zniknie poprzez siłę przejrzystych dowodów." Obawiał się jednak reakcji władz kościelnych i dlatego zdecydował się na publikację gdy wiedział już, że jego życie dobiega kresu.

Inkwizycja

Inkwizycja to potoczna nazwa urzędu powołanego w Kościele katolickim w XIII wieku do tropienia, nawracania i karania heretyków, czyli osób, które miały inne przekonania religijne. Ponieważ w tamtych czasach władza świecka i religijna nie były rozdzielone, wiarę uważano za obowiązek państwowy. Inkwizycję można więc porównać do dzisiejszej prokuratury, tyle że ścigała ona „przestępstwa" przeciw wierze. W skład inkwizycji wchodziły trybunały biskupie i urzędy inkwizytorów mianowanych bezpośrednio przez papieża oraz współpracujące z nimi władze świeckie. Zajmowała się ona ludźmi publicznie oskarżonymi o herezję – prowadziła śledztwo, przesłuchiwała świadków i samego oskarżonego, dając mu prawo do obrony. Jeśli oskarżony odwołał swoje poglądy, z reguły rzecz kończyła się na niewielkiej pokucie – zadanym modlitwom lub pielgrzymce. Jeśli

Palenie ksiąg heretyckich

nie chciał, sprawa robiła się o wiele gorsza – mógł być brutalnie torturowany, a nawet wydany władzy świeckiej, która mogła wykonać wyrok śmierci przez spalenie na stosie! Inkwizycja słusznie okryta jest złą sławą. Wielokrotnie bowiem prowadziła do śmierci niewinnych ludzi, tyle że wierzących po prostu inaczej (np. protestantów) albo oskarżonych w wyniku spisku – tak było w przypadku słynnego procesu Joanny d'Arc: najpierw spalonej, a wkrótce potem uniewinnionej i ogłoszonej świętą.

Zyskał sławę, uniknął kary

Kopernik miał szczęście. Zaraz, tak już chyba zaczynaliśmy niektóre z poprzednich rozdziałów? Zgadza się, ale w tym rozdziale stwierdzenie o szczęściu zabrzmi paradoksalnie. Kopernik miał szczęście, że umarł tuż przed tym, kiedy jego dzieło „O obrotach sfer niebieskich" trafiło do rąk uczonych w całej Europie. Gdyby żył, prawdopodobnie zostałby za swe poglądy ukarany przez Świętą Inkwizycję. Kopernik dobrze wiedział, że będąc duchownym, od razu zostałby oskarżony o odstępstwo od wiary. Dlatego zwlekał z opublikowaniem swego dzieła. „Ale co ma wspólnego herezja i odkrycie, że Ziemia obraca się wokół Słońca?" – zapytacie. Ma i to całkiem sporo. Teoria heliocentryczna Kopernika podważyła średniowieczną wiedzę o świecie. Pobudzała do dalszego badania, jak świat naprawdę został stworzony. Jeśli zaś naukowiec twierdził, że Wszechświat wygląda inaczej niż opisano to w Biblii, dla przedstawicieli Inkwizycji głosił czystą herezję…

Cierpieli za teorię Kopernika…

Nie do wiary, ale 150 lat po śmierci Mikołaja Kopernika za głoszenie jego poglądów naukowych można było zostać spalonym żywcem na stosie! O mały włos nie stało się tak z Galileuszem (naprawdę nazywał się Galileo Galilei) – włoskim przyrodnikiem i astronomem. Ten wspaniały naukowiec i badacz kosmosu musiał, pod groźbą tortur, odwołać w 1616 roku swoje naukowe przekonania i oświadczyć przed sądem Inkwizycji: „Uznaję naukę Kopernika za nieprawdziwą, nigdy nie uważałem jej za prawdziwą". Galileusz, gdy stanął przed sądem Inkwizycji, miał 69 lat. Wiedział, że nie przeżyje tortur, dlatego wolał publicznie okazać skruchę, podeptać to, w co wierzył i ocalić życie. Podobno szepnął jednak do siebie, stojąc przed surowymi sędziami: „a jednak się kręci"! Znaczyło to, że mimo wszystko Kopernik miał rację, a nie głupcy z Inkwizycji.

Nie zaparł się natomiast swych poglądów Giordano Bruno. Ten młody mnich i astronom poznał teorie Kopernika i uwierzył, że Ziemia krąży dookoła Słońca, wirując jednocześnie dookoła własnej osi. Rozwinął jednak badania Kopernika, dowodząc, że gwiazdy widoczne na nieboskłonie stanowią inne, odległe słońca rozrzucone w przestrzeni wszechświata, wokół których krążą ich własne planety. A na nich prawdopodobnie mieszkają inne istoty rozumne. Wedle jego teorii ani Ziemia, ani Słońce nie mogły być centrum Wszechświata, bo takich planet i słońc są w kosmosie tysiące. Bóg zaś nie mógł być powiązany z żadną częścią wszechświata bardziej niż z którąkolwiek inną. Coś takiego musiało rozsierdzić inkwizytorów. Oskarżony o bluźnierstwa Bruno został skazany na publiczne odwołanie i potępienie swoich pism. Ponieważ nie godził się, więziono go przez sześć lat. Trybunał Inkwizycyjny uznał go za zatwardziałego heretyka, trafił więc na tortury, a następnie 17 lutego 1600 został publicznie spalony na stosie.

Inkwizycja kontra odkrycia Kopernika

Podczas procesu Galileusza 24 lutego 1616 roku Święte Oficjum zleciło wydanie opinii o dwóch tezach Kopernika.

Pierwsza teza: Słońce stanowi centrum świata i jest całkowicie nieruchome pod względem ruchów lokalnych.

Opinia cenzury: Teza ta została jednogłośnie uznana za bezsensowną i absurdalną z punktu widzenia filozoficznego i formalnie heretycką.

Druga teza: Ziemia nie stanowi centrum świata ani nie jest nieruchoma, lecz obraca się zarówno wokół samej siebie, jak i ruchem dobowym.

Opinia cenzury: Jednogłośnie stwierdzono, że teza ta podlega tej samej cenzurze filozoficznej, z punktu zaś widzenia teologii, jest co najmniej błędem w wierze.

Indeks

W 1555 roku, a więc dwanaście lat po śmierci Kopernika, papież Paweł IV nakazał sporządzenie wykazu „zatrutych książ", których katolikom nie wolno czytać, posiadać ani rozpowszechniać. W roku 1559 po raz pierwszy ukazał się kościelny indeks ksiąg zakazanych.

Dzieło Mikołaja Kopernika „O obrotach sfer niebieskich" wpisane zostało do Indeksu dopiero po wyroku w sprawie Galileusza, w 1616 roku. Wycofano je z indeksu – nie do wiary – dopiero w 1822 roku! Ostatnie wydanie indeksu ukazało się w 1948 roku i zawierało 4126 zakazanych pozycji.

Prywatna baszta

Kopernik mieszkał na stałe we Fromborku od 1513 roku. Wtedy to otrzymał od kapituły dom na wzgórzu katedralnym, czyli kurię, w której oficjalnie rezydował jako kanonik. Poza tym Kopernik kupił za własne, niemałe pieniądze północno-zachodnią basztę w obrębie murów obronnych Fromborka. Baszta kosztowała 175 grzywien srebra, co stanowiło wówczas wielki majątek. Mikołaj mógł w niej mieszkać, prowadzić obserwacje nieba, ale też miał dbać o jej stan – była to przecież budowla obronna miasta!

Olsztyn z konieczności

We Fromborku Kopernik dokonał trzydziestu zarejestrowanych i opisanych obserwacji astronomicznych. Jednak największych odkryć dokonał na zamku w Olsztynie. Musiał się tam przenieść, gdy został administratorem kapituły w latach 1516–1519, a potem gdy dowodził obroną olsztyńskiego zamku w latach 1520–1521. Zresztą i tak nie miał do czego wracać. Krzyżackie wojska, próbując zdobyć Frombork, spaliły wszystkie kurie kanoników na wzgórzu katedralnym, w tym także dom Kopernika. To właśnie na zamku olsztyńskim Kopernik sporządził rysunkowe wyobrażenie swej teorii – naszkicował orbity planet wokół nieruchomego Słońca. Astronom opatrzył rysunek jednym zdaniem: „Zaprawdę Słońce, jakby na tronie królewskim zasiadając, kieruje rodziną planet krzątających się dookoła". Gdy udowodnił później ten pogląd poprzez żmudne matematyczne wyliczenia i obserwacje gwiazd, stał się sławny na cały świat!

frombork i Olsztyn,
czyli odkrycia na końcu świata

rombork znajdziemy dziś na końcu mapy Polski. W XVI wieku było to miejsce, gdzie przysłowiowy „diabeł mówił dobranoc". Sam Mikołaj w listach pisał, że Frombork „leży gdzieś na końcu świata", zaś swój dom w tym mieście określał mianem „fromborskiej samotni". Czemu więc tam mieszkał? Otóż Frombork był siedzibą kapituły warmińskiej, czyli instytucji kościelnej, do której należeli kanonicy. Kapituła spełniała rolę rady przybocznej biskupa, zaś Frombork był stolicą warmińskiego biskupa.

Znowu możemy powiedzieć, że Kopernik miał szczęście. Właśnie dlatego, że prowadził swe badania na takim odludziu i na peryferiach świata nauki. Po prostu nikt mu do jego badań nie wściubiał nosa. Pozostali kanonicy nie byli uczonymi i wytłumaczenie Mikołaja, że śledzi ruch gwiazd i sfer niebieskich, całkowicie im wystarczało. Nie znali się na tym i prawdę mówiąc, zapewne nie chcieli się znać. Dzięki temu żadne grono profesorów, żaden zwolennik teorii, że Ziemia jest nieruchomym środkiem świata, nie naciskał na Mikołaja, by ten przestał zajmować się badaniami, które mogą być ocenione jako herezja. Były też oczywiście minusy mieszkania na końcu świata. Najnowsze odkrycia naukowe, egzemplarze ksiąg, wieści o nowych teoriach i doświadczeniach docierały do Fromborka z wielomiesięcznym opóźnieniem. Między innymi dlatego Kopernik nie zdążył sprowadzić sobie nowszych instrumentów astronomicznych. Zamiast tego miał najcenniejszą rzecz pod słońcem – mnóstwo czasu na badania i święty spokój...

Skąd Mikołaj miał fundusze na księgi i badania?

Kopernik jako kanonik miał stałe, spore dochody. Należała mu się część opłat za czynności urzędowe, jakich dokonywał. Poza tym, jak każdy zakonnik, otrzymał od kurii cztery łany ziemi (dziś byłoby to ok. 70 hektarów), którą mógł uprawiać z pomocą służby lub wydzierżawić ją. Do tego dochodziły dziesięciny, czyli podatek kościelny wynoszący jedną dziesiątą zysków z upraw. Każdy kanonik rezydujący przy katedrze otrzymywał roczną dziesięcinę z 20 łanów. Spośród kanoników wybierano administratorów kapitulnych. Ich zadaniem było wyznaczanie i obsadzanie urzędników w zamkach i w ratuszach miast, którymi rządziła kapituła. Takim administratorem był Mikołaj Kopernik. Z tytułu pełnionej funkcji również przysługiwały mu dodatkowe dochody.

Księgi astronoma

Współcześni badacze twierdzą, że Mikołaj zgromadził co najmniej 39, a może nawet 51 ksiąg. W tamtych czasach była to imponująca biblioteka, jako że książki były drogie i trudno dostępne. W tej liczbie znajdowało się ok. 20 ksiąg astronomicznych, 9 medycznych, 4 matematyczne i po 2 z dziedziny filozofii, filologii, fizyki i innych nauk. Prócz tego Kopernik mógł bez przeszkód korzystać z ksiąg gromadzonych przez kapitułę warmińską. Miał więc stały dostęp do ówczesnej wiedzy.

Co jadł i pił, patrząc w gwiazdy?

Kopernik odżywiał się skromnie – w jadłospisie kanoników nie było miejsca na wymyślne potrawy, jakie podawano na królewskich i magnackich stołach. Przez 192 dni w roku nie jadano mięsa ani tłuszczów z uwagi na nakazane przez religię dni postne. Jadano wtedy ryby gotowane, smażone lub suszone. W dniach postu ścisłego nie jadano nawet nabiału. Kopernik jako duchowny musiał dawać dobry przykład i sam także nie jadał wtedy mleka, serów ani jajek.

W zwykłe dni Mikołaj jadał zapewne dwa posiłki dziennie: przedpołudniowy zwany *prandium* i popołudniowy zwany *cena*. Składały się na nie kasze, coraz powszechniejsze w Polsce jarzyny oraz mięso, a także zupy – zawiesiste sosy lub rzadsze polewki. Do tego pieczywo wypiekane w postaci żytnich chlebów albo twardych, słonawych podpłomyków. Mógł też kupować u masarzy surowe kiełbasy, które sam piekł na domowym ruszcie. Przekąską wieczorną były twarde gomółki sera i piwo, w tamtych czasach lekko kwaskowate i niegazowane.

A' propos piwa – w owych czasach był to podstawowy napój tak dorosłych, jak dzieci. Piwo podgrzane z miodem i rozpuszczonym serem było popularną polewką na zimne dni. Poza tym dorośli pijali wino i gorzałkę. Woda była zaś uważana za szkodliwy napój i odradzano jej picie. Nic dziwnego, skoro przed wypiciem jej nie gotowano!

Czym Kopernik badał niebo?

Bez teleskopu

Kopernik dostrzegł w kosmosie więcej niż inni, bo miał lepszą lunetę? Doskonalszy teleskop? Zła odpowiedź. Nie miał lunety, a pierwszy teleskop skonstruowany zostanie mniej więcej 150 lat po jego śmierci. Mikołaj miał do dyspozycji własne oczy, ogromną matematyczną wiedzę oraz kilka prostych przyrządów, z których najważniejszym była... murowana płyta w ogródku... Ani ona, ani pozostałe instrumenty sporządzone z sosnowego i jodłowego drzewa nie zachowały się do dziś. W kopernikańskich muzeach znajdują się jedynie kopie tych przedmiotów.

Wino i ściana

Mieszkając na zamku w Olsztynie w latach 1516–1519, na ścianie krużganku Kopernik wykreślił sporą tablicę służącą do wyznaczenia długości roku poprzez obserwacje Słońca. Podzielił ją na osiemnaście odcinków pomagających w ustaleniu momentu wiosennego i jesiennego zrównania dnia z nocą. Promień słoneczny przesuwający się po tarczy wskazywał upływający czas. Niektórzy naukowcy twierdzą, że Kopernik kierował promień ku tabeli za pomocą lusterka, a inni, że światło odbijało się od kielicha czerwonego wina, który Mikołaj stawiał na parapecie. Fragmenty tablicy zachowały się do dziś.

„Globus" Kopernika

To, co Mikołaj trzyma na pomniku to nie globus, ale astrolabium armilarne – przyrząd składający się z sześciu drewnianych obręczy z podziałkami. Służył do wyznaczania długości i szerokości geograficznej miejsca, gdzie znajdował się astronom, a także do wyznaczania współrzędnych położenia ciał niebieskich, wyliczania w jakim znaku zodiaku jest aktualnie Słońce oraz do obserwowania i mierzenia ruchu gwiazd. Można powiedzieć, że był to taki ówczesny komputer astronomiczny.

Kwadrant

Dawny przyrząd do wyznaczania położenia gwiazd i planet. Kwadrant Kopernika był kwadratową płytą z wyrysowanym wycinkiem koła. Astronom mógł dzięki niemu mierzyć wysokość słońca i jego nachylenia względem równika. Kwadrant słoneczny Kopernika był bardzo starego typu – nie miał ruchomego liniału z przeziernikami, czyli urządzenia celowniczego. Ale posługiwania się takim urządzeniem nauczono go w Akademii Krakowskiej. Było ono całkiem spore – kwadrant Kopernika posiadał promień o długości ok. 2,5 metra.

Zegar słoneczny

Prawdopodobnie Kopernik posługiwał się zegarem, który sam skonstruował i wykonał. Słoneczny czasomierz wykonany z brązu został jednak w XVII wieku zniszczony.

Triquetrum

Składało się z przecinających się ramion przyczepionych do pionowej listwy. Drewienka tworzyły trójkąt, który miał zmienną długość podstawy. Za jego pomocą Kopernik mierzył wysokości ciał niebieskich. Jedno z dwóch równych ramion było przymocowane na zawiasach do pionowego słupa wmontowanego w podstawę, drugie, wyposażone w celowniki, było ruchome. Cały ten zestaw trzech łat, przedstawiających pionowo ustawioną płaszczyznę trójkąta równoramiennego, mógł się obracać dookoła pionowego słupa. Kopernik posługiwał się nim przy wyznaczaniu drogi Księżyca wokół Ziemi w czasie jego podstawowych faz. Dokładność triquetrum zależała od długości jego ramion i dokładności montażu dużego przyrządu. Długość ramion wynosiła mniej więcej po 2,3 m każde.

Podziw uczonych

Piotr Krueger, który był nauczycielem słynnego XVII-wiecznego astronoma gdańskiego Jana Heweliusza, podsumował krótko obserwacje Kopernika: „Tak prymitywne przyrządy astronomiczne, a tak zadziwiające rezultaty". Trudno o wyższą ocenę i większe uznanie dla genialnego astronoma. Choć spór o to, czy faktycznie Słońce stanowi środek naszego świata trwał jeszcze z górą sto lat po śmierci Mikołaja, mimo to jego obliczenia, obserwacje i mozolnie sporządzane oraz wyliczane tablice astronomiczne nie były przez nikogo podważane ani krytykowane.

Instrumenty od Ptolemeusza

Skąd Kopernik wiedział, jak wykonać instrumenty obserwacyjne? Trochę nauczył się o tym od swoich mistrzów – nauczycieli z Bolonii i Krakowa. Ale najwięcej dowiedział się z dzieł Ptolemeusza, który obserwował niebo za pomocą takiego samego sprzętu. Kopernik chciał mieć identyczne przyrządy, by porównać swoje obserwacje z wnioskami badacza sprzed setek lat. W ten sposób, wykorzystując instrumenty opisane przez Ptolemeusza, Kopernik obalił teorię tego wielkiego greckiego uczonego.

Pavimentum, czyli Matejko się pomylił

Jan Matejko przedstawił astronoma, jak dokonuje obserwacji na krużganku wieży we Fromborku. Badacze dowodzą, że akurat na obronnej wieży Kopernik obserwacji prowadzić nie mógł. Czemu? Ponieważ wieża zasłaniała część nieba, instrumenty obserwacyjne były zbyt wielkie, by je tam umieścić, a drewniany ganek zapewne uginał się i trząsł. Tymczasem Kopernik musiał mieć solidną podstawę dla instrumentów. I miał. Tylko że w ogródku domu, w którym mieszkał na wzgórzu katedralnym. Wielkie i drewniane instrumenty łatwo było stamtąd zabrać do domu na wypadek deszczu. W murowanej płycie była zainstalowana prowadnica o ściśle wyliczonym kierunku. W nią Kopernik wkładał przyrządy, od razu nakierowując je pod właściwym kątem w niebo. Ten podest obserwacyjny to opisywane przez Mikołaja pavimentum.

Niebo XVI wieku

Gwiazdozbiór

lub inaczej konstelacja, to grupa gwiazd zajmujących pewien obszar nocnego nieba. Już przed czterema tysiącami lat gwiazdy pozostające blisko siebie łączono umownie w kształty, wyobrażano sobie, że przedstawiają jakiś przedmiot lub postać i nadawano im nazwy. 2,5 tysiąca lat temu Babilończycy podzielili tę strefę nieba, po której „porusza się" Słońce na 12 odcinków i każdemu przypisali jeden gwiazdozbiór, który akurat tam występował. Tak powstał zodiak i znaki zodiaku. Astrologowie zajmowali się przepowiadaniem przyszłości na podstawie wzajemnego układu ciał niebieskich oraz tego, w jaki znak zodiaku wchodzi właśnie Słońce, Księżyc lub jakaś planeta. Popularne dziś horoskopy pochodzą wprost z czasów, kiedy nadworny astrolog króla Persów decydował, czy można zaczynać wojnę z Asyryjczykami, kiedy Słońce wchodzi w znak Byka albo czy wysyłać poselstwo do Egipcjan, skoro Merkury i Księżyc spotkały się właśnie na niebie, a jak wiadomo, to bardzo zły znak.

Gwiazdozbiory służyły też żeglarzom do nawigacji. Dzięki znajomości położenia gwiazd mogli oni bezpiecznie żeglować przez morza, nie gubiąc wyznaczonej drogi.

Czy gwiazdozbiory mogą być kosmicznymi państwami?

Gwiazdy tworzące gwiazdozbiór nie są ze sobą związane, nie tworzą bliskich skupisk czy galaktyk. Po prostu widzimy najjaśniej świecące punkty blisko siebie i łączymy je w kształty, tak jak w zadaniu z poleceniem: „połącz punkty". Bliskie położenie kilku gwiazd na niebie to złudzenie – efekt tego, że je obok siebie dostrzegamy. W rzeczywistości jedna może być oddalona od drugiej o miliony kilometrów i nie mają ze sobą nic wspólnego. Dla mieszkańca planety oddalonej od nas o setki lat świetlnych, nasze Słońce być może jest jedną z 5 lub 15 gwiazd tworzących widziany stamtąd gwiazdozbiór, który kosmici nazwali sobie gwiazdozbiorem Wielkiego Liścia albo konstelacją Ble-Ble.

Mieszkańcy północnej półkuli,

np. Polacy, mogą na co dzień oglądać konstelację Małej Niedźwiedzicy, Wielkiego Wozu (który jest jej częścią), Żyrafy czy Lwa. Za to z własnego balkonu nigdy nie ujrzą gwiazdozbiorów, które oglądają np. mieszkańcy Australii czy Argentyny, takich jak: Krzyż Południa, Tukan, Oktant czy Ryba Latająca.

Ile jest gwiazdozbiorów?

Ptolemeusz opisał 48 gwiazdozbiorów, ale widział jedynie te grupy gwiazd, które pojawiają się na niebie północnej półkuli. Już pod koniec XVI wieku astronomowie, którzy wzięli udział w wyprawie na Sumatrę, zaobserwowali, opisali i nazwali 12 gwiazdozbiorów południowej półkuli. Potem przez lata kolejni badacze dostrzegali i opisywali nowe gwiazdozbiory. Ostatecznie ich liczbę ustalono w 1928 roku na 88.

Magiczne niebo

Zodiak tworzy dwanaście gwiazdozbiorów, które miały szczególne znaczenie dla starożytnych cywilizacji, a i dziś na ich podstawie tworzy się horoskopy. Są to konstelacje, na których tle wędrują Słońce, Księżyc i znane nam planety. Konstelacjom odpowiadają znaki zodiaku. „Wędrówka" Słońca i planet przez sfery niebieskie przyporządkowane znakom zodiaku ma symboliczne znaczenie i astrolodzy potrafią z niej odczytać przyszłość. Kto chce, niechaj wierzy. Kto nie chce, ten sobie horoskopami głowy nie zawraca.

Włoskie niebo

Dlaczego obserwacje nieba dokonywane we Włoszech były dla ówczesnych astronomów takie ważne? Czy stamtąd widać było lepiej? Trochę lepiej – Włochy leżą bliżej równika niż Frombork, więc gwiazdy widziane stamtąd wydają się nieco bliższe. Ale najważniejsze było coś innego – uczeni mogli oglądać niebo i układy gwiazd znajdując się niemal na tej samej szerokości i długości geograficznej, co ich starożytni mistrzowie: Ptolemeusz, Arystoteles, Tales, Anaxymander czy Pitagoras.

Tajemniczy Księżyc

Czy wiecie, że Kopernik, choć odkrył prawdziwą budowę wszechświata, nie miał pojęcia, jak wyglądał Księżyc? To znaczy, widział go, tak jak my – okrągłego satelitę z szarymi plamami na licu. Nie wiedział jednak nic o jego powierzchni. Na świecie nie było bowiem jeszcze teleskopów. Pierwszą mapę księżyca wykonał dopiero w 1609 roku brytyjski uczony Thomas Harriot. Dzięki teleskopowi obejrzał księżycowe kratery, góry i morza, a części z nich nadał nazwy. Ciekawe, co jeszcze odkryłby w kosmosie Kopernik, gdyby posiadał teleskop?

O co biskup oskarżał Kopernika?

Biskup Dantyszek oskarżył Kopernika, że romansuje ze swą gospodynią, Anną Schilling i postarał się, by ta wiadomość dotarła do jak najszerszej liczby ludzi. Zostali o tym poinformowani księża, kanonicy, profesorowie na Akademii Krakowskiej. Biskup szykował przeciw Kopernikowi proces kanoniczny. Gdyby do tego doszło, uczonego zapewne posądzono by o brak moralności. Ale czy tylko? Część dostojników Kościoła wiedziała o badaniach i odkryciach Kopernika, o tym, że chce ogłosić drukiem dzieło, które podważa kościelną naukę o świecie. Wiedzieli, że fromborski kanonik sympatyzuje z luteranami, ludźmi dążącymi do reformacji w Kościele. Że przyjaźnił się z kanonikiem Aleksandrem Scultetim, który został niedawno ogłoszony heretykiem. Było więc sporo powodów do postawienia Kopernika przed kościelnym sądem i wydania na niego hańbiącego wyroku. Na szczęście nigdy do tego nie doszło.

O obrotach... – z życia niezwykłej księgi

1542 r. – w Norymberdze zostają wydrukowane dwa pierwsze arkusze księgi. Są to egzemplarze próbne i bez przedmowy.

1543 r. – pierwsze wydanie „De revolutionibus"

1566 r. – drugie wydanie księgi

1616 r. – Inkwizycja wpisuje dzieło na indeks ksiąg zakazanych (do czasu wprowadzenia poprawek)

1617 r. – trzecie wydanie księgi Kopernika, tym razem w Amsterdamie

1828 r. – dzieło Kopernika zostaje zdjęte z kościelnego indeksu

1854 r. – wydanie pierwszego polskiego przekładu dokonanego przez Jana Baranowskiego.

Śmierć Kopernika i losy jego ksiąg

P od koniec maja Roku Pańskiego 1543 kanonika Mikołaja nachodziły najczarniejsze myśli. Czuł się coraz gorzej, siły go opuszczały. 70-letni mężczyzna powoli przechadzał się krużgankami fromborskiego zamku. W czasach, gdy mężczyźni zwykle nie dożywali pięćdziesiątki, Kopernik wydawał się być starcem. Jednak to nie podeszły wiek był przyczyną słabego samopoczucia uczonego.

Kanonik naraził się potężnemu biskupowi Janowi Dantyszkowi, który był jego zwierzchnikiem. Uzbierało mu się przewinień – prawdziwych i tych, które wyolbrzymiono na polecenie biskupa. Kopernik, sam będąc kościelnym dostojnikiem, czuje, że hierarchia, której służy, zwraca się przeciw niemu.

Mikołaj musi przysiąść na kamiennej ławie. Kręci mu się w głowie, ciężko mu oddychać. Przed kilkoma miesiącami odwiedził go Georg Joachim Retyk, jego jedyny uczeń. Wybłagał mistrza, by ten zgodził się oddać do druku swe wielkie dzieło. Jeśli Retyk sprawił się dobrze, powinno być już gotowe. Retyk powinien lada dzień przyjechać…

Mikołajowi coraz trudniej zaczerpnąć tchu… szum, okropny szum w skroniach… pomocy…

Gdy się ocknął, leżał w swej izbie, we fromborskiej wieży. Nie mógł ruszać lewą ręką, tylko jedno oko odnajdowało znajome kształty pokoju i twarze zgromadzonych. Trudno mówić…

– Mistrzu, oto wasze dzieło – mówi Joachim Retyk i kładzie na piersiach znękanego chorobą kanonika ciężki tom oprawny w skórę. Kopernik z trudem jedną ręką otwiera księgę i patrzy na stronę tytułową: „Nicolai Copernici Torinensis. De revolutionibus orbium coelestium"… – czyta. Dalej nie musi. Oto księga życia wydrukowana w Norymberdze i rozgłoszona na cały świat.

– Niebezpieczna to księga. Oby was nie zawiodła na stos – mruczy młody kanonik, niechętny Kopernikowi, którego nigdy nie szanował, uznając za głupca.

– Nigdzie mnie już nie zawiedzie – uśmiecha się połową twarzy Mikołaj, nagle radosny i lekki na duszy. – Teraz już nie boję się niczego.

Tego wieczoru, 24 maja Roku Pańskiego 1543, z egzemplarzem księgi pod ręką, kanonik Mikołaj oddał życie Bogu.

Z pamiętnika Kopernika

Stało się. Retyk powiózł rękopis „De revolutionibus" do Norymbergii, do tamtejszej drukarni. Zdecydowałem się w końcu, za jego namową, dzieło owe upublicznić światu, nauce i prawdzie na chwałę. Takem uczynił i dlatego, że wiele już zapewne nie pożyję. Obawiam się, że po mej śmierci, albo jeśli proces przeciw mnie wytoczą, rękopis prędzej spalą, niż do jakiej biblioteki oddadzą. Tedy nie czyniąc więcej trudności zezwoliłem na druk, pieniędzy dla drukarzy nie skąpiąc. Jakaż to jednak w owym druku siła – co wydadzą, to już koniec, przepadło, żeby największe króle i biskupi się srożyli, nie przemogą. Słowa poszły w świat i choćbyś księgi palił, zawszeć jedna gdzieś się ostanie. Wielka potęga jest w księgach puszczanych w świat stadami. Ogromna potęga…

Uległem jednak namowom teologa z Norymbergii Andreasa Osiendera, by w przedmowie do dzieła napisać, że rzecz cała hipotezą jest tylko, nie zaś pewnym odkryciem. Uczyniłem tak, aby spodziewany gniew Rzymu załagodzić.

Tak mi dopomóż, Panie Boże. Amen.

Losy ksiąg uczonego

Kilkadziesiąt zgromadzonych przez siebie ksiąg Mikołaj Kopernik zapisał w testamencie diecezji warmińskiej. Tam też trafiły, wzbogacając kościelną bibliotekę. Niestety w 1629 roku Szwedzi, podczas najazdu na Pomorze i Prusy, ukradli cały księgozbiór. Król Szwedzki Gustaw II Adolf rad z cennej zdobyczy, nakazał oddać ją do uniwersyteckiej biblioteki w Uppsali. Dziś z 46 tomów na pewno należących do Mikołaja Kopernika, 41 znajduje się w Uppsali, a jeden tom – w Bibliotece Królewskiej w Sztokholmie. Pozostałe księgi trafiły do szwedzkich bibliotek w Linkoping i Strangnas. Tylko jeden tom z księgozbioru Kopernika zachował się w Polsce. Znajduje się obecnie w Muzeum Mazurskim w Olsztynie.

Dzieje jednego egzemplarza

Unikalny egzemplarz „Obrotów" znajduje się w leningradzkiej bibliotece. Księga należała do trzech wielkich astronomów żyjących w XVI i XVII wieku. Każdy z nich pozostawił na marginesach własne zapiski, ponieważ w tamtych czasach naukowcy traktowali księgi jak osobiste notatniki. Pierwszym jego właścicielem był Erazm Reinhold, autor słynnych Tablic pruskich z 1551 roku, czyli pierwszych opisów i wyliczeń ruchów planet obliczonych w oparciu o badania kopernikańskie z „Obrotów". Potem jego dzieło trafiło do astronoma Tychona Brahe. Jeszcze później egzemplarz dostał się do rąk astronoma Jana Keplera, który potem ulepszył teorię Kopernika. Oczywiście notując swe odkrycia na marginesach… W roku 1853 berliński księgarz Friedlander sprzedał unikalny egzemplarz księgi do biblioteki w Petersburgu.

Dzieje rękopisu

Rękopis dzieła „De revolutionibus orbium coelestium" pozostawał w rękach Joachima Retyka od 1541 roku. Po śmierci Retyka dzieło to zaginęło, choć prawdopodobnie posiadał je uczeń Retyka – Walentyn Otho. Rękopis następnie zaginął na ponad 200 lat i odnalazł się w Pradze czeskiej. W roku 1953 rząd Czechosłowacji przekazał rękopis Polsce. Obecnie jest on przechowywany w Bibliotece Jagiellońskiej w Krakowie.

Kto czytywał Kopernika?

Jak się wkrótce okazało, Kopernik nie został zapomnianym samotnikiem z Fromborka. Jego teorię poparł i udowodnił własnymi obserwacjami Galileo Galilei (Galileusz). Jednak, jak już wiemy, pod groźbą tortur musiał odwołać swoje naukowe przekonania i złożyć haniebne oświadczenie „Uznaję naukę Kopernika za nieprawdziwą, nigdy nie uważałem jej za prawdziwą".

Dzieło Kopernika studiowali też papieże, teologowie oraz inkwizytorzy. Papież Aleksander VII potępił wszelkie księgi, które głosiłyby tezę, że Ziemia się porusza i zakazał ich publikacji oraz posiadania.

Tezy polskiego astronoma przeczytał także Marcin Luter, twórca ruchu reformacyjnego. Jak pamiętamy, Kopernika posądzano o sympatię dla niego, skoro w swych badaniach podważał oficjalną kościelną naukę. A jednak Luter skrytykował Mikołaja równie bezwzględnie jak papież. Gdy Marcin Luter poznał teorię Kopernika, miał podobno powiedzieć: „Ludzie słuchają improwizowanego astrologa, który za wszelką cenę chce udowodnić, że to nie niebo się kręci, lecz Ziemia. Ów Kopernik, w swojej głupocie, chce zburzyć wszystkie zasady astronomii. W Piśmie Świętym czytamy, że Jozue nakazał zatrzymać się Słońcu, a nie Ziemi". Tak więc i z tej strony nie było zrozumienia, skoro Kopernik głosił coś odwrotnego niż to, jak rozumiano wówczas Biblię.

Kto używał urządzenia Kopernika?

Do Fromborka wybrał się w 1584 roku Eliasz Cimber. Był to asystent Tychona de Brahe. Cimber specjalnie przyjechał do miasta nad Zalewem Wiślanym, aby sprawdzić, czy pomiary i obliczenia polskiego uczonego były dokładne. Tycho chciał dzięki swemu wysłannikowi przekonać się, czy Mikołaj Kopernik, którego cenił wysoko za drobiazgową dokładność obserwacji, nie pomylił się, patrząc w gwiazdy. Cimber odszukał dom, który przed 41 laty należał do genialnego polskiego astronoma. W tym czasie mieszkał w nim już inny zakonnik, Niemiec – Eggert Kempen. Cimber chciał ustawić swe urządzenia obserwacyjne dokładnie tak, jak robił to Kopernik. Przeszedł się po ogrodzie i pod warstwą niezgrabionych liści, odkrył słynne kopernikańskie „pavimentum". Na płycie odnalazł bez trudu linię południkową wyrytą jeszcze przez Kopernika. Wzdłuż niej Cimber ustawił instrumenty i dokonał obserwacji kosmosu. Był prawdopodobnie pierwszym i ostatnim astronomem, który wykorzystywał instrument obserwacyjny należący kiedyś do Mikołaja Kopernika...

TYCHO BRAHE

Człowiek ze srebrnym nosem

Duński uczony o dziwnym imieniu i nazwisku żył w latach 1546–1601. Tycho Brahe w młodości stracił w pojedynku część nosa. Swoje kalectwo ukrywał pod wykonaną przez siebie srebrną protezą. Astronomią zainteresował się już jako czternastolatek, kiedy obejrzał zaćmienie słońca. Był odkrywcą nowych gwiazd, a także pięciu nieznanych do tej pory komet. Skonstruował też precyzyjne instrumenty do obserwacji.

Tycho Brache znał teorię Kopernika, posiadał egzemplarz dzieła polskiego astronoma, czytywał je uważnie i… nie wierzył, że Kopernik miał rację. Brahe uważał, że wokół nieruchomej Ziemi krążą Księżyc i Słońce, zaś wokół Słońca – pozostałe planety i nie zamierzał swych poglądów zmieniać. A jednak liczne i dokładne obserwacje kosmosu, jakie przeprowadził, pozwoliły uczniowi Tychona – Janowi Keplerowi, pomierzyć dokładnie ruch planet i… udowodnić, że to Kopernik miał rację!

JAN KEPLER

Astrolog trzech cesarzy i jednego wodza

Jan Kepler (1571–1630) był wspaniałym astronomem i odkrywcą nie tylko supernowych gwiazd oraz komet, ale także skomplikowanych praw ruchu planet. Ulepszył też teleskop Galileusza.

Kepler był zwolennikiem teorii Kopernika i obrońcą jego tez. Jego pierwsza poważna praca: „Mysterium Cosmograficum" była publiczną obroną systemu kopernikańskiego. Podobnie było z dziełem „Epitome astronomiae Copernicanae".

Jako astronom i astrolog, który zdobył sławę w Europie, Kepler został nadwornym astrologiem cesarza Rudolfa II Habsburga. Głównym obowiązkiem Keplera jako cesarskiego matematyka było zapewnianie astrologicznych porad dla cesarza. Poza stawianiem horoskopów, Kepler doradzał też cesarzowi w sprawach politycznych. Doradzał potem i stawiał astrologiczne wróżby cesarzowi Ferdynandowi, a następnie jego najzdolniejszemu wodzowi Albrechtowi von Wallenstein. Nie wiemy dziś niestety, czy wspaniałe zwycięstwa armii Wallensteina podczas wojny trzydziestoletniej były spowodowane trafnymi przepowiedniami Keplera…

Biedny Kopernik...

W polskich szkołach zaczęto nieśmiało uczyć o zakazanej przez Kościół teorii Kopernika dopiero po 1750 roku. Nauczano o tym, że Kopernik dokonał swego odkrycia (ale nie o tym, że to potwierdzona prawda) w szkołach prowadzonych przez zakon pijarów. Upłynęło wiele lat i przetoczyło się wiele gniewnych dyskusji, nim większość szkół polskich uznała, że to, co 250 lat temu odkrył Mikołaj Kopernik, jest prawdą i wypadałoby za Kopernikiem nauczać jak świat naprawdę jest zbudowany.

O Koperniku i jego odkryciach przypomniano sobie w Polsce w początkach XIX wieku. Racjonaliści, czyli ludzie kierujący się w życiu rozumem, wiedzą i logiką, wychowankowie nowoczesnych szkół, przyjęli go sobie za patrona.

Zaczęto badać jego życie i twórczość, omawiano jego odkrycia na sesjach naukowych, pisano rozprawy o tym, jaki wpływ na światową naukę miało jego odkrycie. Wreszcie – w połowie XIX wieku przetłumaczono jego dzieło na język polski. A mimo to… gdy w roku 1830 w Warszawie szykowano uroczyste odsłonięcie pomnika genialnego astronoma, duchowni z warszawskiej kapituły nie chcieli odprawić przy tej okazji uroczystej mszy!

Kapituła oznajmiła zdumionym profesorom i warszawiakom: „Ponieważ Kopernik systemem swoim zgrzeszył przeciw Pismu Świętemu i wyklętym został przez papieża, uczcić go mszą świętą byłoby świętokradztwem". Dodajmy, że dzieło Kopernika zdjęto z kościelnego indeksu dwa lata wcześniej!

Poszukiwania grobu zaczęły się w 1802 roku. Prowadzili je członkowie Warszawskiego Towarzystwa Naukowego. Oczywiście nic nie znaleźli. Potem następne ekspedycje odwiedzały Frombork w latach 1909 i 1939. Podczas II wojny światowej poszukiwania prowadzili Niemcy, którzy bezskutecznie wmawiali całemu światu, że Kopernik był ich rodakiem. Tuż po wojnie grobu kanonika Mikołaja szukali Rosjanie, choć prawdę mówiąc nie wiadomo, po co im były te szczątki. W każdym razie wszystkie te starania zakończyły się fiaskiem. Grób znalazł wreszcie zespół prof. Jerzego Gąssowskiego.

Dlaczego niełatwo odnaleźć stary grób?

Wiele szczątków, rozsypujących się trumien, przemieszanych kości; przenoszenie zwłok i trumien w przeszłości z miejsca na miejsce; trzeba wiedzieć, gdzie kopać i jak delikatnie to robić... Czasem trumny ustawiane w krypcie jedna na drugiej zawalają się ze starości i wtedy ludzkie szkielety – dosłownie – mieszają się ze sobą. Poszukiwacz musi też wiedzieć, w jakich trumnach chowano ludzi w czasach Kopernika, a w jakich – na przykład – w XIX wieku. W poszukiwaniach powinien uczestniczyć archeolog – fachowiec od rozpoznawania wieku znalezisk, a także ktoś z policyjnym lub lekarskim doświadczeniem. Przydałby się też dobry historyk oraz ktoś, kto potrafi pobierać i zabezpieczać próbki do analizy. Na prowadzenie poszukiwań trzeba mieć zgodę od właściciela terenu lub budynku oraz zebrać jeszcze pozwolenia od wielu państwowych instytucji. Nie wystarczy wybrać sobie miejsca, wziąć łopatę i kopać, ot tak...

Gdzie pochowano Kopernika?

To niesamowite, ale przez ponad 450 lat miejsce pochówku astronoma było okryte tajemnicą. No, może niezupełnie przez cały ten czas. Ludzie, którzy pochowali Kopernika w 1543 roku, wiedzieli przecież gdzie złożyli jego ciało. Jednak gdy i oni umarli, nikt już nie pamiętał, gdzie spoczywa kanonik Mikołaj. Zapewne wielu z was zapyta: „Jak to, nie opisali jego grobu na cmentarzu? Nie napisali na tablicy nagrobnej jego nazwiska?" Otóż – nie opisali.

Po pierwsze – Kopernik nie spoczął na cmentarzu, ale w katedrze fromborskiej – a dokładniej w jednej z krypt w podziemiach świątyni, w bezimiennej trumnie.

Po drugie – dlaczego wielkiego astronoma pochowano tak jak innych kanoników w zwykłej trumnie i w krypcie, gdzie spoczywały już tuziny innych zwłok? To proste – gdy Mikołaj Kopernik umierał, nie był jeszcze znanym astronomem. Jego nazwisko głośne było wśród najważniejszych europejskich uczonych, czyli wśród wąskiej grupy ludzi. Natomiast jego sąsiedzi z warmińskiej kurii, kanonicy, księża i administratorzy dóbr kościelnych nie mieli pojęcia o jego odkryciach. Kopernik zmarł więc jako jeden z kilkunastu kanoników. Wiekowy, chory, niewątpliwie uczony i niewątpliwie dziwak – astrolog, wciąż wpatrzony w niebo. Takim go znali, takim go zapamiętali. I takim też pochowali. Kanoników nie chowano wtedy z honorami, ich trumny spoczywały we wspólnych kryptach.

Ołtarz św. Krzyża, czyli jak trafiono na jego grób?

Od średniowiecza do 1710 roku zmarłych kanoników zwyczajowo grzebano w pobliżu ołtarza, którym się opiekowali. Historycy zwrócili na to uwagę. Zaś w starych księgach biskupstwa warmińskiego odkryli, że Kopernik opiekował się ołtarzem św. Wojciecha. Po wojnie ołtarz ten zmienił nazwę na „św. Krzyża". Serca badaczy zabiły mocniej. Zidentyfikowali rejon poszukiwań!

Prześwietlili podziemia świątyni przy pomocy georadaru – urządzenia, które pokazuje, czy pod ziemią kryją się schowki, podziemia, ukryte pomieszczenia, pogrzebane zwłoki lub zasypane przedmioty. W ten sposób wokół ołtarza św. Krzyża, pod posadzką, znaleziono mnóstwo grobów. Nie wiadomo było tylko, w którym może spoczywać Mikołaj Kopernik.

W 2004 roku zaczął się kolejny etap: odkrywanie krypt, otwieranie trumien, szczegółowe badania... Poszukiwacze wiedzieli, że szukają szkieletu 70-letniego mężczyzny, tymczasem znajdowali szczątki samych młodych ludzi, jednego dziecka i kilku osób w wieku średnim. W 2005 roku natrafiono jednak na szkielet 70-latka. Po żmudnych badaniach dotyczących wyglądu czaszki i po próbach odtworzenia wizerunku twarzy uznano, że znaleziono grób Mikołaja Kopernika.

Co czyha w starych trumnach?

Umówmy się – na pewno nie duchy! Za to można tam spotkać coś znacznie gorszego. Na przykład groźne dla zdrowia bakterie i mikroskopijnej wielkości grzyby. Otwarcie trumny może spowodować, że te niebezpieczne dla ludzi mikroby, zamknięte przez kilkaset lat w szczelnej trumnie, nagle wydostaną się na świat. Taki przypadek zdarzył się w Krakowie. W 1974 roku otwarto i zbadano trumnę ze szczątkami króla Kazimierza Jagiellończyka. Pół roku później zmarło pierwszych dwóch badaczy pracujących przy zwłokach króla. W ciągu następnych 10 lat zmarło 15 osób pracujących przy otwarciu, badaniu i konserwacji królewskiego grobowca. Zabiła ich wydzielina grzyba zwanego kropidlakiem żółtym, który bujnie rozwinął się w grobowcu króla. Jednak wielu przesądnych ludzi wierzy, że śmierć przyniosła badaczom klątwa króla, który ukarał śmiałków za naruszenie jego spokoju po śmierci. Możecie o tym poczytać w książce Zbigniewa Święcha pt. „Klątwy, mikroby, uczeni".

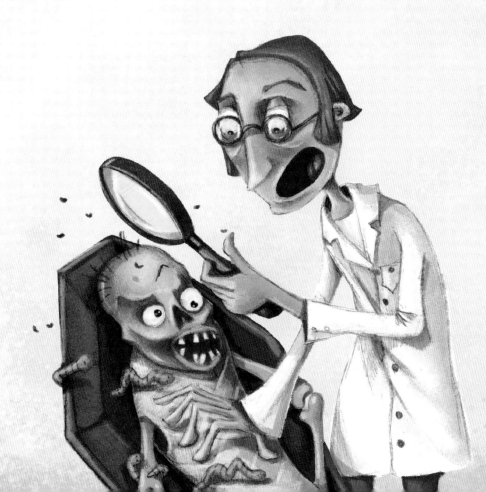

Jak Kopernik wyglądał naprawdę?

Portret znajdujący się w zbiorach Muzeum Okręgowego w Toruniu jest prawdopodobnie najwierniejszym wizerunkiem Kopernika. W latach II wojny światowej obraz ukryto przed Niemcami.  Dziś naukowcy spierają się o ten wizerunek. Jedni są zdania, że to robota portrecisty pierwszej klasy, zaś Kopernik musiał do niego pozować. Świadczy o tym choćby to, że artysta uchwycił bliznę u nasady lewej brwi oraz odbicie okna gotyckiego na gałkach ocznych Mikołaja. Tych szczegółów nie dało się wymyślić, musiały zostać podpatrzone z natury. Inni dowodzą, że portret namalowany został po śmierci astronoma, ale na podstawie szkicu autoportretu Kopernika. A jak wiemy, Kopernik sporządził autoportret, który już po jego śmierci jeden z kanoników podarował Tychonowi Brahe.

Wizerunek astronoma na fryzie czytelni Bodleian Library w Oksfordzie. Ten obraz prawdopodobnie namalowano  na podstawie miedziorytu z XVI wieku, przedstawiającego dość wierny portret Kopernika.

Zaginął też portret, który wisiał w kapitule fromborskiej. Wywieziono go do Szwecji wraz z księgami naszego astronoma.

 Miedzioryt Jeremiasza Falcka z XVII wieku, gdzie Kopernik jest podobny do portretu toruńskiego, tylko ma inaczej ułożone usta. Na tym dziele opierał się Jan Matejko, gdy w 1873 roku malował słynny obraz, na którym astronom patrzy w gwiazdy i rozmawia z Bogiem.

Pytanie może się wydać dziwne, zwłaszcza, że w każdej niemal szkole wisi jego portret. Jan Matejko namalował go, jak obserwuje gwiazdy, jego podobizna jest w podręcznikach, encyklopediach, w Internecie, także na banknotach i znaczkach pocztowych. To chyba wiadomo, jak wyglądał?

Niezupełnie… W roku 2005 poszukiwacze z zespołu prof. Jerzego Gąssowskiego ogłosili, że znaleźli szczątki Mikołaja Kopernika. Ale dopiero po trzech latach zyskaliśmy pewność, że to naprawdę nasz uczony. Wtedy też dowiedzieliśmy się, jak prawdopodobnie wyglądał, będąc już starszym mężczyzną. Stało się tak dzięki rekonstrukcji wyglądu jego twarzy.

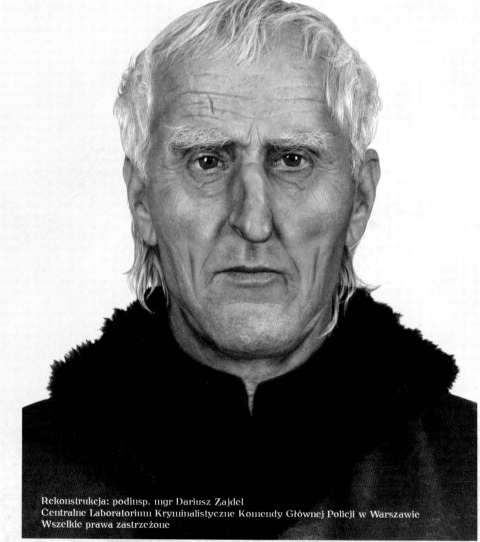

Rekonstrukcja: podinsp. mgr Dariusz Zajdel
Centralne Laboratorium Kryminalistyczne Komendy Głównej Policji w Warszawie
Wszelkie prawa zastrzeżone

Dokonał tego podinspektor mgr Dariusz Zajdel, ekspert z antroposkopii kryminalistycznej z Centralnego Laboratorium Kryminalistycznego Komendy Głównej Policji w Warszawie. Podinspektor odtworzył twarz Mikołaja na podstawie wyglądu czaszki. I oto naszym oczom ukazała się twarz mężczyzny ze skrzywionym nosem, o pociągłej twarzy, wysokim czole i silnie zarysowanym podbródku. Twarz młodego Kopernika znanego nam z portretów, który potężnie się postarzał. 2 grudnia 2008 profesor Jerzy Gąssowski z Instytutu Antropologii i Archeologii w Akademii Humanistycznej im. A. Gieysztora w Pułtusku potwierdził oficjalnie, że w katedrze we Fromborku wykopano szczątki Mikołaja Kopernika. Ujawniono też wyniki badań DNA, które potwierdziły tożsamość uczonego. Wielkiego Astronoma zidentyfikowano na podstawie... włosa, który wpadł mu między karty księgi 450 lat temu! Identyfikacja szczątków była bowiem możliwa dzięki księdze przechowywanej w szwedzkim muzeum. Materiał genetyczny pobrany z dwóch włosów znalezionych w księdze okazał się identyczny z materiałem genetycznym osoby, której szczątki odnaleziono w katedrze fromborskiej.

RAPORT:

Odnaleźliśmy szkielet mężczyzny.
Wiek w momencie zgonu - ok. 65-70 lat.
Asymetryczna dolna połowa twarzy. Wyraźny ślad po zranieniu na lewym łuku brwiowym (przypuszczalnie rana cięta) i złamany (zapewne w młodości) nos.
To musi być nasz poszukiwany obiekt.

Jak Kopernik odzyskał twarz?

Podinspektor Zajdel zastosował metodę rekonstrukcji opracowaną przez radzieckiego uczonego, prof. Gierasimowa. Jest dosyć makabryczna, polega bowiem na oklejaniu plasteliną czaszki kościotrupa, by „dodać" do niej mięśnie twarzy, skórę, wargi itp. Potem dokłada się perukę, w oczodoły wstawia szklane oczy, maluje rumieńce... i nieboszczyk jest jak żywy.

Oczywiście teraz odbyło się to w sposób nowocześniejszy. Czaszkę Kopernika sfotografowano centymetr po centymetrze aparatem cyfrowym. Sporządzono dokładną „mapę", czyli siatkę punktów, w których powinny się znajdować miejsca przyczepu mięśni, powłoki skóry, brwi, usta, nos, policzki, a nawet... worki pod oczami. To niesamowite, ale udało się uzyskać dokładność do 0,05 milimetra. Po połączeniu trzech milionów punktów pomiarowych uzyskano gęstą siateczkę trójkącików.

Na siatkę naniesiono następnie skórę zbudowaną w programie komputerowym z fragmentów zdjęć twarzy, których użyczyło Centralne Laboratorium Kryminalistyczne. Na oklejanie plasteliną prawdziwej czaszki Kopernika nikt przecież nie wydałby zgody.

Długość i położenie ust ustalono na podstawie rozstawienia zębów. Nos Kopernika odtworzono używając fragmentów z wizerunków kilkunastu różnych nosów, dodatkowo poddając je różnym komputerowym deformacjom. Tak samo żmudnie odtwarzano uszy, których kształt projektowano na podstawie otworów słuchowych w czaszce i miejsc przyczepów mięśni. Kolor oczu Kopernika znamy z jego portretów. Wygląd i kolor włosów stanowią już fantazję podinspektora Dariusza Zajdla.

Poradnik obserwatora nieba

Potrzebujesz:

Bezchmurną i bezksiężycową noc, obrotową mapę nieba, kompas i czerwoną latarkę, by sobie nią przyświecać (czerwone światło nie porazi twych oczu i nie pogorszy widzenia gwiazd).

Którąś z tych książek: David H. Levy „Niebo: Poradnik użytkownika", Przemysław Rudź „Niebo na weekend", Storm Dunlop, Will Tirion „Niebo. Ilustrowany przewodnik", Eduard Pittich, Dusan Kalmancok „Niebo na dłoni", Milton D. Heifez, Wie Tirion „Spacer po niebie. Przewodnik po gwiazdach i gwiazdozbiorach oraz ich legendach".

Lornetkę, lunetę lub teleskop.

Gdzie najlepiej obserwować gwiazdy?

Czego zazdroszczą współcześni badacze nieba Mikołajowi Kopernikowi? Oczywiście czarnego nieba i nocy nie rozświetlanych przez cywilizację neonów i żarówek. Jeśli chcesz mieć świetny widok na gwiazdy, najlepiej wybierz się na wieś.

Czy nadajesz się na astronoma?

Ciekawi cię wszechświat?

Kochasz filmy o międzygalaktycznych podróżach, oglądałeś „Gwiezdne Wojny", „Muchy w kosmosie", „WALL.E"…? Marzysz o tym, by polecieć w kosmos? Niestety, pozaziemskie podróże długo jeszcze pozostaną zarezerwowane dla zawodowych astronautów oraz baaa-aaa-aaa-aardzo bogatych „kosmicznych turystów". Ci ostatni gotowi są zapłacić nawet 20 milionów dolarów za udział w kosmicznym szkoleniu i locie załogowym na orbitę Ziemi! Kto nie ma jednak milionów na drobne wydatki, może udać się w kosmos wzrokiem, rozumem i wyobraźnią. Może na przykład zostać astronomem. Jak Kopernik.

To nie takie trudne, ale też nie takie znowu proste. Trzeba umieć i lubić czytać – astronom musi wiedzieć, na co patrzy przez teleskop, musi zapamiętać układy gwiazd i pory ich obserwacji – te informacje znajdują się w książkach. Astronom powinien też znać budowę gwiazd i innych ciał niebieskich – a to naprawdę fascynujące historie. Wiecie, że na planecie Wenus temperatura nie spada nigdy poniżej 400 stopni Celsjusza?

Co robić z mapą?

Trzymać ją przed sobą jak książkę – nie trzeba jej podnosić do góry ani kłaść się na plecach i wyciągać w górę rąk z mapką. Poszukać, gdzie na mapie zaznaczony jest kierunek: Północ. Musisz odszukać kierunek północny, zwrócić się w tamtą stronę i porównać układ gwiazd z mapy z tym, co widzisz na niebie. Potem dla pewności sprawdź zgodność mapy z niebem także na pozostałych kierunkach stron świata.

Teraz możesz zacząć szukać gwiazdozbiorów i rozpoznawać ich kształty na niebie.

Jeśli chcesz się dokładnie przyjrzeć wybranej gwieździe, musisz odnaleźć ją ponownie – przykładając do oczu lornetkę. Nie będzie to łatwe za pierwszym razem. Za drugim pewnie też nie, ale szybko się tego nauczysz.

Albo że z chmur przesyconych dwutlenkiem węgla spadają deszcze kwasu siarkowego? Jowisz z kolei ma aż 63 księżyce, zaś Saturn zbudowany jest głównie z gazów oraz cieczy i gdyby znaleziono dostatecznie wielki ocean, by można było położyć tę gigantyczną planetę na powierzchni wody, pływałaby ona jak leciutka gumowa piłeczka. Aha, na Saturnie wieją wiatry z prędkością 1800 kilometrów na godzinę. Chcecie dowiedzieć się czegoś więcej? To musicie poczytać.

Jak dziś obserwujemy kosmos?

Na Ziemi mamy niezliczone obserwatoria astronomiczne – w niebo kierują się tysiące małych, dużych i wielkich teleskopów optycznych – czyli takich, przez które się patrzy. Prócz tego w wielu miejscach świata działają radioteleskopy. Te z kolei umożliwiają badanie docierających do ziemi dźwięków z kosmosu przy pomocy fal radiowych. Największy radioteleskop na Ziemi ma średnicę 305 metrów i zbudowano go w Arecibo w Portoryko. Największy radioteleskop w Europie ma czaszę o średnicy 100 metrów, a największy w Polsce – 32 metry. Zbudowano go w Piwnicach niedaleko Torunia i użytkuje go Katedra Radioastronomii Uniwersytetu Mikołaja Kopernika.

Teleskopy zawiesiliśmy także w kosmosie – na orbicie okołoziemskiej krąży od 19 lat teleskop Hubble'a, który wykonuje rewelacyjne zdjęcia kosmosu – wolne od zanieczyszczeń ziemskiej atmosfery i zbędnego światła emitowanego z Ziemi. Zdjęcia z Hubble'a pozwoliły naukowcom odkryć wiele nowych zjawisk i ciał niebieskich w kosmosie. Czterokrotnie naprawiali go astronauci, którzy w tym celu musieli wychodzić z promu kosmicznego w otwartą przestrzeń. W 2013 roku teleskop zostanie zastąpiony nowym urządzeniem.

Ludzie wysyłają też w kosmos sondy, które lecą w najdalsze zakątki naszej galaktyki, wykonując setki zdjęć wszechświata. Kopernik, zastanawiając się wspólnie z Leonardem da Vinci nad możliwością wystrzelenia człowieka ponad Ziemię, aż takich technologicznych „bajerów" nie mogli przewidzieć…

Teleskopy

Galileusz musiał skonstruować sobie teleskop samodzielnie. My mamy sklepy. Naprawdę porządny teleskop dla zaawansowanych obserwatorów i fotografów kosmosu może kosztować od 3 do 30 tysięcy złotych. Dla amatorów oraz początkujących producenci sprzętu przewidzieli doskonałe i o wiele tańsze urządzenia. Każdy, kto zaczyna przygodę z astronomią, znajdzie coś dla siebie za mniej więcej 250 – 500 zł. Nie będziemy tu przytaczali instrukcji obsługi teleskopów oraz technik wyszukiwania obiektów na niebie. Internet dosłownie pęcznieje od porad i informacji na ten temat.

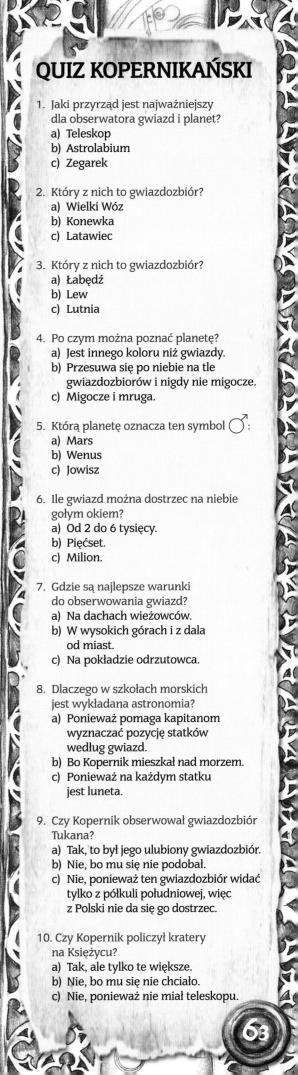

QUIZ KOPERNIKAŃSKI

1. Jaki przyrząd jest najważniejszy dla obserwatora gwiazd i planet?
   a) Teleskop
   b) Astrolabium
   c) Zegarek

2. Który z nich to gwiazdozbiór?
   a) Wielki Wóz
   b) Konewka
   c) Latawiec

3. Który z nich to gwiazdozbiór?
   a) Łabędź
   b) Lew
   c) Lutnia

4. Po czym można poznać planetę?
   a) Jest innego koloru niż gwiazdy.
   b) Przesuwa się po niebie na tle gwiazdozbiorów i nigdy nie migocze.
   c) Migocze i mruga.

5. Którą planetę oznacza ten symbol ♂:
   a) Mars
   b) Wenus
   c) Jowisz

6. Ile gwiazd można dostrzec na niebie gołym okiem?
   a) Od 2 do 6 tysięcy.
   b) Pięćset.
   c) Milion.

7. Gdzie są najlepsze warunki do obserwowania gwiazd?
   a) Na dachach wieżowców.
   b) W wysokich górach i z dala od miast.
   c) Na pokładzie odrzutowca.

8. Dlaczego w szkołach morskich jest wykładana astronomia?
   a) Ponieważ pomaga kapitanom wyznaczać pozycję statków według gwiazd.
   b) Bo Kopernik mieszkał nad morzem.
   c) Ponieważ na każdym statku jest luneta.

9. Czy Kopernik obserwował gwiazdozbiór Tukana?
   a) Tak, to był jego ulubiony gwiazdozbiór.
   b) Nie, bo mu się nie podobał.
   c) Nie, ponieważ ten gwiazdozbiór widać tylko z półkuli południowej, więc z Polski nie da się go dostrzec.

10. Czy Kopernik policzył kratery na Księżycu?
    a) Tak, ale tylko te większe.
    b) Nie, bo mu się nie chciało.
    c) Nie, ponieważ nie miał teleskopu.

Tekst: Marcin Przewoźniak
Ilustracje: Dorota Szoblik
Redaktor prowadzący: Marcin Malicki
Projekt graficzny i skład: Bernard Ptaszyński
Redakcja: Marcin Malicki, Agnieszka Sobich
Korekta: Agnieszka Skórzewska, Marzena Zielonka

FOTOGRAFIE: **Zdjęcia wykorzystane na zasadach komercyjnych:**
© iStockphoto.com/sagaYago (str. 12)
© iStockphoto.com/Borsheim Arts Studio (str. 24)
© iStockphoto.com/wiktorbubniak (str. 37)
© iStockphoto.com/kondzioclub (str. 38)
© iStockphoto.com/redmal (włócznia, str. 40)
© iStockphoto.com/keithwheat (halabarda, str. 40)
© iStockphoto.com/maciek (Frombork, str. 48)

Zdjęcia udostępnione na licencji Creative Commons uznanie autorstwa:
Następujące utwory są objęte licencją Creative Commons uznanie autorstwa
Na tych samych warunkach 2.5 Polska.
Kopia licencji: http://creativecommons.org/licenses/by-sa/2.5/pl/

Ⓘ☺ Dom Kopernika, autor: Stephen McCluskey (str. 4)
Ⓘ☺ Toruń panorama, autor: Pko (str. 11)
Ⓘ☺ Grosz gdański Stefana Batorego, autor: Bonas (str. 26)
Ⓘ☺ Grosz krakowski, autor: mzopw (str. 26)
Ⓘ☺ Kwartnik krzyżacki, autor: Tomasz Sienicki (str. 26)
Ⓘ☺ Grosz praski, autor: mzopw (str. 34)
Ⓘ☺ Szydłów castle museum-01, autor: Piotrus (str. 34)
Ⓘ☺ Kusza, autor: Rama (str. 40)
Ⓘ☺ Estoque (miecz), autor: Nazanian (str. 40)
Ⓘ☺ Wieża Kopernika, autor Tomek Zakrzewski (str. 48)

ISBN 978-83-7983-045-9

Wydawnictwo Zielona Sowa Sp. z o.o.
00-807 Warszawa, Al. Jerozolimskie 96
tel. 22 576 25 50, fax 22 576 25 51
www.zielonasowa.pl
wydawnictwo@zielonasowa.pl

PRAWIDŁOWE ODPOWIEDZI DO QUIZU KOPERNIKAŃSKIEGO

1c, 2a, 3b, 4b, 5a, 6a, 7b, 8a, 9c, 10c

Wyjaśnienia:

1c – gwiazdy można obserwować przez teleskop, lornetkę lub gołym okiem. Jednak bez zegarka nie zanotujesz czasu, w jakim dokonują się zmiany na niebie ani dokładnego momentu obserwacji. Bez zegarka niebo możesz oglądać, ale nie obserwować.

4b – planety nie migoczą. Nie świecą własnym światłem jak gwiazdy, ale są znacznie bliżej od nich. To dlatego widać je dobrze. Ich kropeczki nie migoczą na niebie, bo widzimy je „z bliska" w porównaniu z gwiazdami, a światło słoneczne odbite od nich dociera do naszego oka mniej więcej ze stałym natężeniem. Natomiast światło odległych gwiazd załamuje się i rozprasza w gęstych warstwach atmosfery ziemskiej i dlatego gwiazdy „mrugają".

6a – właśnie tyle! Ale nie próbuj ich liczyć. Po pierwsze, by zobaczyć naprawdę dużo gwiazd musisz wyjść z jasno oświetlonego pokoju na co najmniej dwie godziny. Wtedy twój wzrok przyzwyczai się do ciemności i zaczniesz dostrzegać nawet najmniejsze punkciki. Poza tym wszystko zależy od tego, czy księżyc świeci czy nie, a niebo jest przejrzyste i wolne od chmur i zanieczyszczeń.

Najwięcej gwiazd widać w naprawdę ciemne, pogodne noce, gdy księżyc jest w nowiu i nie widać jego tarczy.

9c – gwiazdozbiorów okołobiegunowych południowych (bo tak brzmi ich pełna nazwa) nie da się obejrzeć w Polsce. W tym celu trzeba pojechać na półkulę południową.